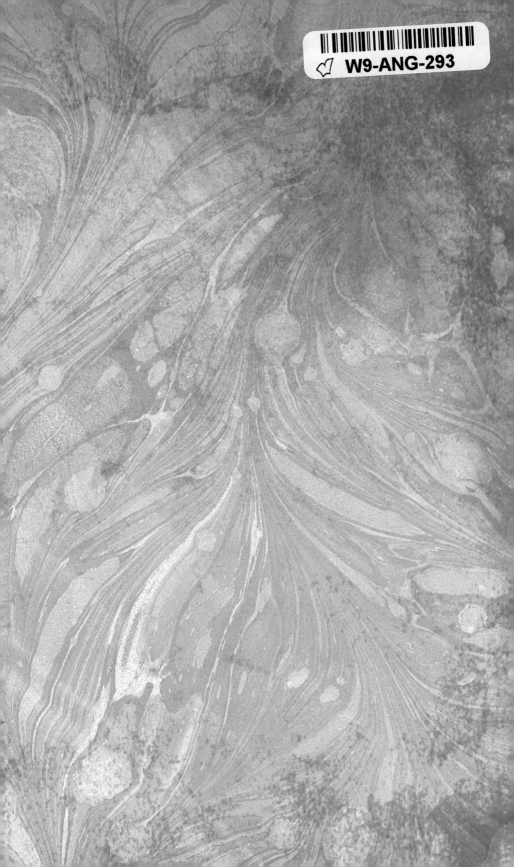

Este diario pertenece a:
Tita de la Garza.
Ciudad Porfirio Díaz,
1910

La que está de pie junto a
su madre soy yo.

Poema Hñähnu Otomí

En la gota de rocío brilla el sol:
la gota de rocío se seca.
En mis ojos, los míos, brillas tú:
Yo, yo vivo.

Khasa-tuyhiadimiyottzi
sa-tuhmotti
Khanöm da goguiyottzi
Nügo, nügodibui

4 de julio de 1910

Querido diario, discúlpame por no
haberte estrenado antes, pero es que
sentía que no tenía nada interesante
que escribir, sin embargo, hoy pasó algo
que creo va a cambiar mi vida. Fui a
la misa en honor de Nuestra Señora
del Refugio de Pecadores, que como
sabes es la patrona de la ciudad... y ¡vi
el amor! Su fulgor dejó encandilados
mis ojos por un buen rato. Adonde ponía
mi vista observaba un poderoso círculo
de luz y aún con los párpados cerrados
lo seguía viendo. Te preguntarás en
dónde fue que se me apareció el amor
y te respondo que en los ojos de Pedro
Múzquiz. Fue muy extraño pues Pedro
y yo nos hemos visto infinidad de veces
desde que somos niños pero esta vez fue
especial. Me lanzó un relámpago de
fuego y yo me puse tan nerviosa que
no pude sostenerle la mirada. Luego,

me tocó ayudarle al padre Ignacio a recoger la limosna. Cuando me acerqué a la banca en donde estaban sentados don Pascual y Pedro, el señor le dio un billete a su hijo para que me lo diera y cuando Pedro depositó el billete dentro de la charola, deliberadamente rozó con sus dedos mi mano. Yo me estremecí de pies a cabeza. Nunca había sentido algo así en mis 15 años de existencia y algo dentro de mí me dijo que Pedro estaba destinado a ser el hombre de mi vida.

Querido Diario,

hoy hubo una fiesta en mi casa y
vinieron don Pascual y Pedro. En
determinado momento mi mamá me pidió
que fuera a la cocina por una charola
de buñuelos y Pedro amablemente se
ofreció a ayudarme. Aprovechó ese instante a solas conmigo para declararme
su amor. Yo no supe qué decir y le dije
que lo iba a pensar. Él me respondió
que el amor no se piensa, que se siente
o no se siente, y tiene razón. Cuando él
me mira no puedo pensar en otra cosa
más que en lo que estoy sintiendo y que
es algo parecido a lo que una masa de
buñuelo debe sentir al contacto con el
aceite hirviendo. Finalmente le di el
sí de manera apresurada, pues escuché
los pasos de mi madre entrando a la
cocina.

Buñuelos

Se pone a hervir un litro de agua con 4 cáscaras de tomate verde procurando que no hierva mucho porque amarga. Esta agua se mezcla con 1 kilo de harina de trigo, 1 cucharada de polvo de hornear, 1 huevo, ½ taza de aceite y una pizca de sal. Cuando la masa está formada, se golpea contra la mesa varias veces hasta que quede suave y esponjada. Después se amasa para que tome forma de bola y se deja reposar por una hora. Se revisa que la masa no quede pegada a las manos cuando se le toma. Eso indica que está lista para el paso siguiente. Se forman varias bolitas de masa de un mismo tamaño y luego se extienden sobre una mesa previamente enharinada con la ayuda de un rodillo. Cuando el buñuelo está delgado, se termina de extender a mano sobre la rodilla o sobre el fondo de

una olla de barro con la ayuda de un
trapo mojado. Mientras tanto se pone a
calentar aceite dentro un cazo. Cuando
esté hirviendo se introducen los buñuelos
y se sacan cuando estén dorados. Al
sacarlos de la lumbre se espolvorean
con azúcar y finalmente se bañan
con la miel tradicional elaborada con
piloncillo, canela, ralladura de naranja
y un poco de anís de estrella.

Hoy le confié a mi hermana Gertrudis que Pedro y yo nos amamos. Me abrazó y nos pusimos a dar de vueltas tomadas de las manos, hasta que mi mamá nos vio y desde el balcón nos gritó "¡Niñas! No den vueltas, que se les ven las pantorrillas". Hasta ese momento me di cuenta de que con tanto giro la falda se nos había levantado y me sentí mal. Gertrudis, en cambio, en cuanto mamá se metió a la casa, se levantó toda la falda hasta la cintura y movió sus nalgas de un lado al otro. Tuve que taparme la boca para no reír a carcajadas.

Muestra para mi ajuar de cama.

El día de hoy comencé a preparar mi ajuar de novia. Cuando Nacha, mi nana, me vio ensayar unas puntadas de gancho puso cara de preocupación, y muy amorosamente me aconsejó esperar hasta que mi mamá autorice la boda antes de iniciar nada, pero le expliqué que a mí me gusta bordar y deshilar con el debido tiempo. Es más, hoy mismo compré el estambre para tejer la colcha de mi cama de casada.

Tengo planeado tardarme un año. Justo el tiempo que Pedro y yo calculamos que sería prudente para organizar la boda. Al mismo tiempo voy a ir recolectando mis recetas de cocina favoritas.

Así se va a ver mi colcha terminada.

12

¿Qué crees?

Mañana es mi cumpleaños y vamos a
hacer tortas de navidad pero eso no es
lo importante, sino que Pedro y su papá
van a venir a hablar con mi mamá para
pedir mi mano. Tengo un poco de miedo. A
ver qué pasa. Mientras tanto, hoy me puse
a diseñar el sello con el que pondremos
el lacre en las invitaciones de la boda.
Me gusta la idea de que los sobres se
sellen con fuego. En mis años dentro de
la cocina he aprendido que el calor y el
fuego tienen un efecto determinante en la
materia. Los alimentos cambian totalmente
su comportamiento si se calientan o se
enfrían. Por ejemplo, agregar un poco de
azúcar a la carne mientras se cocina,
aparte de potenciar su sabor, hará que la
temperatura de cocimiento aumente y con
ello los líquidos de la carne permanecen
dentro, pues el exterior está sellado.

Pregúntenle a mi corazón lo que tiene
que hacer para que la sangre no hierva
y explote en su interior cada vez que
Pedro me besa. Por eso quiero cerrar
los sobres pasando mi lengua por el
engomado. Quiero que mi saliva
sea agua quemada. Quiero que el fuego
del lacre mantenga la llama del amor
entre nuestras iniciales entrelazadas.

Tortas de Navidad

1 lata de sardinas en tomate
½ kg. de chorizo
1 cebolla
Orégano
1 lata de chiles serranos
10 teleras

La cebolla y los chiles se pican finamente y se reservan. A las sardinas se les despoja del esqueleto y de la piel, tratando de mantenerlas lo más completas posibles. El chorizo se pone a freír a fuego manso y luego se retira de la lumbre, en seguida se le incorporan la cebolla, los chiles picados y la sardina con el caldillo de tomate, se deja reposar antes de rellenar las tortas. Lo ideal es dejarlas al sereno toda la noche envueltas en una tela, para que el pan se impregne con la grasa del chorizo. Al día siguiente, antes de llevarlas a la mesa se meten al horno 10 minutos y se sirven calientes.

El día de hoy, Pedro y yo nos juramos amor eterno frente a nuestra Señora del Refugio. Luego encendimos una veladora y la depositamos en su altar junto con un ramo de flores. Lo vivimos como una ceremonia íntima y secreta. Todo iba bien hasta que nos dimos cuenta de que la chismosa de Paquita Lobo nos estaba observando. Espero que no le diga nada a mi mamá.

17

¿Qué es eso de que no me puedo casar porque tengo que cuidar a mi madre hasta que muera?

¿De dónde salió esa tradición? ¿Por qué nadie me habló de ella antes de que me enamorara de Pedro?

~~Lo~~

¡Es una locura!

¿Tengo que esperar hasta que mi mamá se muera para amar? ¿Y por qué lo tengo que hacer yo y no Rosaura? Es más, ¿por qué hay alguien que se debe sacrificar? ¿El que inventó la tradición estará consciente de que si yo no me caso y no tengo hijos no tendré a nadie que vea por mí en la vejez?, ¿de qué se trata?, ¿de asegurar cuidados sólo para una persona y negarle a otra la felicidad? Aparte de todo, es por amor que uno cuida a otra persona, no por

18

obligación. ¿Cómo amar lo que se odia?
Y ¿cómo odiar lo que se ama? Quisiera
odiar a Pedro. ¿Por qué aceptó casarse
con Rosaura en vez de conmigo?, ¿por
qué? Lo único que me queda claro es que
hoy, día de luna negra, se instalaron en
mi alma el frío y la oscuridad.

Hoy Nacha me impidió pisar un grano de maíz. Dice que es una falta de respeto muy grande al dios del maíz. Me gusta que ella piense que en el interior de las semillas habitan dioses invisibles que con bondad se encargan de la naturaleza, pero no me resuelve del todo algunas de las dudas que traigo en la cabeza desde niña. Es cierto que en la naturaleza hay una inteligencia. Las semillas saben qué planta saldrá de sus entrañas sin que nadie se los diga. Las aves saben cuándo volar. Los animales cuándo aparearse y cómo cuidar de sus crías. Es lindo pensar que son los mismos dioses los que se encargan de ello. Pensándolo bien nuestros pensamientos son así; son como los dioses de Nacha, presencias que nadie ve. Son ideas que germinan silenciosamente en el interior del corazón sin que nadie se dé cuenta. Es sólo hasta que salen a la luz, hasta que se convierten en grito, en reclamo, en árbol de resentimiento que los demás pueden observar. Todo lo que se siembra da fruto. ¿Qué caso tiene sembrar odio? ¿No es absurdo llenar de odio el corazón de la persona que debe de encargarse de cuidarnos en la vejez? ¿De aquellos de los que vamos a depender? ¿Por qué mamá me obliga a rotular las invitaciones de la boda de mi hermana?

Hoy ha sido uno de esos días en que desearía nunca haber nacido. Lo único relativamente bueno que tengo para contarte es que me liberaron de la obligación de rotular las invitaciones. No fue un acto de compasión hacia mi persona, sino que se dieron cuenta de que con mi escritura estaba arruinando los sobres. Lo que pasa es que nunca he tenido buena letra. En la escuela me obligaron a escribir con la mano derecha cuando yo era zurda de nacimiento. La maestra me amarraba la mano izquierda por la espalda, lo que provocó que aborreciera no tanto la escritura, sino la caligrafía. Odio la caligrafía. Me cuesta trabajo escribir a la perfección tal como lo hacen mis hermanas. ¿Lo que uno escribe deja de ser importante si la letra está dispareja? No lo creo.

Bueno, el caso es que mi mamá, a la voz de "ya", me mandó a la cocina, no

sin antes hacer énfasis en mis conti-
nuos errores y torpezas. Uf, qué alivio
fue entrar a mi lugar favorito pero
qué malo que me di una quemada de
aquellas con agua hirviendo. No lo pude
evitar. Hace días que he perdido la paz.
No sé ni dónde traigo la cabeza.

Hoy Nacha me regaló el cielo. Me enseñó una puntada de tejido que en su pueblo sólo la pueden bordar las mujeres casadas. Parece una escalera ascendente. Dice Nacha que, dentro de su tradición, se piensa que la forma de alcanzar el cielo se da a través de las relaciones familiares. Por eso a las mujeres solteras no les es permitido bordar esta puntada pues aún no conocen a profundidad lo que significa el amor al esposo y a los hijos. Me conmovió hasta las lágrimas este gesto de Nacha pues teniendo en cuenta que nunca me voy a casar, esta puntada me permite alcanzar el cielo aún sin matrimonio.

No sólo eso, Nacha también hoy me enseñó a hacer nudos invisibles. Es un atado simple pero muy efectivo. En verdad no se nota y no hay manera de que se suelten los hilos. Pensé en Pedro. No sé quién ni cuándo ató nuestros corazones, pero siento que así de fuerte es nuestro amor, aunque pronto deje de ser mi novio para convertirse en mi cuñado.

Nudo invisible

Se toma el primer hilo de estambre
con el que estamos trabajando y se pasa
sobre el hilo que se quiere incorporar.
Luego se cruza por abajo, y se pasa a
través del lazo que se formó.
Se hace lo mismo del otro lado.
Finalmente se toman los dos extremos y
se jalan para crear el nudo invisible.

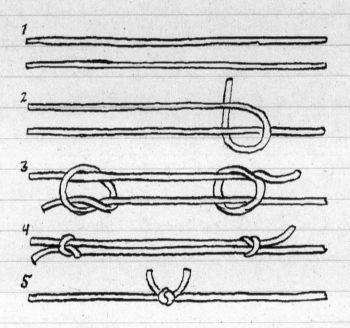

Hoy fue la boda de Rosaura y Pedro. Me comporté a la altura. Lo único relevante fue que cuando me acerqué a Pedro para felicitarlo, me dijo al oído que se había casado con mi hermana sólo para poder estar cerca de mí. Si de planear locuras se tratara, yo podría haberme casado con su papá para poder estar a su lado. ¿A él le habría parecido? No, ¿verdad? ¿Quién le dijo a Pedro que verlo casado con mi hermana me puede hacer feliz? En fin, hoy sentí un dolor más grande que el que la boda de Pedro me ocasionó. Después del banquete, descubrí que Nacha había muerto. Su muerte me deja en el total abandono y la más profunda soledad. Para colmo, mi mamá me acusó de haber puesto un vomitivo en la masa del pastel con la intención de arruinar la boda. He decidido que este diario se convierta en un recetario en donde voy a ir anotando las recetas y los secretos de cocina que Nacha me enseñó. Cocinar siempre significará el mejor homenaje que

puedo hacerle a su persona y la mejor
manera de tenerla siempre a mi lado.

En éste día acontecieron una boda y
dos muertes: la de mi querida Nacha y
la de Pedro, como mi novio.

Ayer

A la una P.M. falleció en el seno de la Santa Madre Iglesia Católica, Apostólica y Romana la señorita

Ignacia Sánchez

A la edad de 73 años.

La Familia De la Garza, con el más profundo dolor participan a Ud. tan triste suceso, suplicándole eleve una oración a Dios por el descanso de su alma.

Rogamos a Ud. se sirva asistir a sus funerales que tendrán lugar hoy a las 4 P.M. en el Panteón de esta ciudad.

Ciudad Porfirio Díaz, 19 de enero de 1911.

MATER DOLOROSA

28

Pastel Chabela

Ingredientes para la masa:
175 gramos de azúcar granulada de primera.
300 gramos de harina tamizada tres veces.
17 huevos.
Raspadura de un limón.

Ingredientes para el relleno:
150 gramos de pasta de chabacano.
150 gramos de azúcar granulada.

Ingredientes para el fondant:
800 gramos de azúcar granulada.
60 gotas de limón y el agua suficiente
para que remoje el azúcar.

Ingredientes para el turrón:
10 claras de huevo.
500 gramos de azúcar.

Manera de hacerse:

Pastel:

En una cacerola se ponen 5 yemas de huevo, 4 huevos enteros y el azúcar. Se baten hasta que la masa espesa y luego se le anexan 2 huevos enteros más. Se sigue batiendo y cuando vuelve a espesar se le agregan otros 2 huevos completos, repitiendo este paso hasta que se terminen de incorporar todos los huevos de dos en dos. Junto con los 2 últimos huevos se incorpora la ralladura del limón. Cuando la masa ha espesado bastante, se deja de batir y se le agrega la harina tamizada poco a poco, utilizando una espátula de madera para mezclarla. Por último, se engrasa un molde con mantequilla y se espolvorea con harina, antes de vaciarle la pasta. Se cuece en el horno por 30 minutos.

Relleno:

Se ponen los chabacanos al fuego con muy poca agua, se dejan hervir y se pasan

por un cedazo o tamiz; si no se tiene,
se puede usar una vulgar coladera. Se
pone esta pasta en una cacerola, se le
agrega el azúcar y se pone al fuego sin
dejar de moverla hasta que toma punto
de mermelada. Se retira del fuego y se
deja enfriar un poco antes de ponerla
en la parte de en medio del pastel,
que por supuesto se ha partido con
anterioridad.

Fondant:
Se ponen en una cacerola el azúcar y
el agua al fuego sin dejar de moverla,
hasta que empieza a hervir. Se cuela
en otra cacerola y se vuelve a poner
al fuego agregándole el limón hasta que
tome punto de bola floja, limpiando de
vez en cuando los bordes de la cacerola
con un lienzo húmedo para que la miel
no se azucare; cuando ha tomado el
punto anteriormente indicado se vacía
en otra cacerola húmeda, se rocía
por encima y se deja enfriar un poco.

Después con una espátula de madera se
bate hasta que empaniza. Para aplicarlo,
se le pone una cucharada de leche y
se vuelve a poner al fuego para que se
deslíe; se le pone después una gota de
carmín y se cubre con él únicamente la
parte superior del pastel.

Turrón:
Se baten las claras de huevo y el azúcar
a punto de hebra fuerte y con ésta se
cubren las orillas del pastel.

Querido diario:

Perdón por el silencio. No podía escribir
ni pensar. Con trabajo podía respirar.
El caso es que a pesar de que ya habían
pasado varios meses a partir de la boda
entre Pedro y Rosaura, ellos aún no habían
estrenado la sábana nupcial y la semana
pasada lo hicieron. Me sentí traicionada.
Pedro, el día de la boda, me aseguró
que se casaba con ella únicamente para
estar cerca de mí. De alguna manera
yo quise creerlo. Me hacía sentir bien.
Era mi pequeña venganza en contra de
mi hermana. Sin embargo, finalmente se
consumó el matrimonio entre ellos. Me tocó
lavar la sábana nupcial para quitarle las
manchas de sangre. Nacha era la que antes
se encargaba de estos menesteres, pero a
partir de su muerte yo me convertí en su
heredera y ¡en estas ocasiones qué pesado se
me hace! Todo el día me la pasé llorando.
Gracias a Dios, por la mañana recibí el
último capítulo de mi novela por entregas
"La Princesa Mendiga", pues fue el pretexto
ideal para justificar mi llanto.

No sé si mi silencio y mi alejamiento
preocuparon a Pedro pero hoy, con el
pretexto de que yo cumplía un año como
cocinera del rancho, me trajo un ramo
de rosas. Fue un escándalo. Rosaura,
con los ojos llorosos, abandonó la sala
en donde nos encontrábamos reunidas
cosiendo y tejiendo las prendas del ajuar
del niño que viene en camino. Mi mamá
me lanzó una de sus miradas mortales y
tuve que salir de la sala rápidamente.
Con sus ojos, prácticamente me ordenó
tirar las rosas pero no me atreví a
hacerlo, por el contrario, las apreté
con tal fuerza contra mi pecho que las
espinas me hicieron sangrar. No sé si la
sangre es lo que alteró definitivamente
la salsa de rosas que preparé para
acompañar unas codornices, pero es
innegable que la combinación resultó
explosiva. No sé bien a bien lo que
pasó pero, el caso es que Gertrudis se
encueró, incendió el baño y terminó en
el lomo del caballo de un revolucionario

que a todo galope se la llevó. Lo
único que puedo decir es que hoy que
preparé este platillo huyó de la casa
Gertrudis.

38

Codornices en pétalos de rosa

Ingredientes:

12 rosas, de preferencia rojas

12 castañas

2 cucharadas de mantequilla

2 cucharadas de fécula de maíz

2 gotas de esencia de rosas

2 cucharadas de miel

2 ajos

6 codornices

1 pitahaya

Manera de hacerse:

Se desprenden con mucho cuidado los pétalos de las rosas, procurando no pincharse los dedos, pues aparte de que es muy doloroso (el piquete), los pétalos pueden quedar impregnados de sangre y esto, aparte de alterar el sabor del platillo, puede provocar reacciones químicas por demás peligrosas. Es importante que se desplume a las codornices en seco, pues

al sumergirlas en agua hirviendo se
altera el sabor de la carne. Después de
desplumadas y vaciadas las codornices,
se les recogen y atan las patas, para que
conserven una posición graciosa mientras
se ponen a dorar en la mantequilla,
espolvoreadas con pimienta y sal al gusto.

Ya que se tienen los pétalos deshojados,
se muelen en el molcajete junto con el
anís. Por separado, las castañas se ponen
a dorar en el comal, se descascaran
y se cuecen en agua. Después, se hacen
puré. Los ajos se pican finamente y se
doran en la mantequilla; cuando están
acitronados, se les agregan el puré de
castañas, la pitahaya molida, la miel,
los pétalos de rosa y sal al gusto. Para
que espese un poco la salsa se le pueden
añadir dos cucharaditas de fécula de
maíz. Por último, se pasa por un tamiz
y se le agregan sólo dos gotas de esencia
de rosas, no más, pues se corre el peligro
de que quede muy olorosa y pasada de

sabor. En cuanto está sazonada se
retira del fuego. Las codornices sólo se
sumergen durante diez minutos en esta
salsa para que se impregnen de sabor
y se sacan. Para servirlas se ponen en
un platón, se les vacía la salsa encima
y se decoran con una rosa completa
en el centro y pétalos a los lados, o se
pueden servir de una vez en un plato
individual en lugar de utilizar el
platón, pues de esta manera no se corre
el riesgo de que a la hora de servir
la codorniz se pierda el equilibrio del
decorado.

Nunca fui muy buena para las matemáticas pero entiendo que uno más uno no son necesariamente dos. Para mí, Pedro y Rosaura siempre serán dos personas que se unieron por conveniencia pero sin perder nunca su individualidad. Cuando uno más uno en verdad se unen, dejan de ser dos individuos separados para convertirse en un solo ser fundido hasta los huesos. Como cuando Pedro y yo nos juramos amor eterno tomados de la mano. Recuerdo que en ese momento yo no podía distinguir entre mi mano y la suya. Era una sola mano. Lo mismo sucede con el molcajete cuando uno prepara una salsa. Todos los ingredientes se integran en uno solo. Todas las cocineras sabemos que en el interior de las ollas suceden cosas maravillosas. Hay amor. Hay unión. Hay fuego. Hay pasión. Todo se disuelve. Todo se amalgama. Todo se transforma.

Y eso es lo que le ofrezco a Pedro cada mañana. Mi amor convertido en olor, en sabor, en calor. ¿Quién dice que eso no es hacer el amor?

44

Hoy fue uno de esos días que nunca olvidaré. A medio día nació mi sobrino Roberto, ¡asistido por mí! Resulta que Rosaura y yo nos quedamos solas en el rancho porque mi mamá y Chencha se habían ido a abastecerse de lo necesario para el parto, pues debido a la lucha revolucionaria se esperaba una escasez de alimentos en el pueblo. Pedro había salido desde temprano a Eagle Pass para traer al Dr. Brown. El traslado del doctor se complicó a causa de los enfrentamientos entre federales y revolucionarios y de pronto yo tuve que ser la que recibiera a mi sobrino. No tengo palabras para expresar lo que sentí al verlo nacer. No existen. Lo único que puedo decir es que ese niño me ha devuelto el amor a la vida. Todo aquello que yo sentía que mi hermana me había quitado me lo regresó, y con creces. Lo que vivimos juntas fue tan íntimo, tan bello, tan profundo que siempre lo llevaré en mi memoria. En un principio yo estaba muy nerviosa. No sabía

cómo atender un parto. Si Rosaura tenía
alguna idea no me lo podía comunicar.
El dolor que experimentaba se llevaba
toda su energía y su concentración. Yo
no entiendo por qué en las escuelas nos
enseñan tanta cosa que no sirve para
nada en lugar de darnos conocimientos
que nos ayuden a vivir, así, simplemente
a vivir. A recibir la vida. A honrar la
vida. A respetar la vida. A bendecir de
rodillas el misterio de la vida. Cosa que
Rosaura y yo hicimos en cuanto tuvimos
al niño en nuestros brazos. No necesito
ser la madre del hijo de Pedro y
Rosaura, para llorar de felicidad por el
nacimiento de este niño que es muy mío.
Siento que también es mi hijo. Es como
cuando siembro maíz y frijoles. Los siento
parte de mí. Son mis padres, son mis
hijos. Ellos son yo y yo soy ellos.

Más tarde salí al huerto y sembré el
cordón umbilical del sobrino junto a un
árbol. Nacha siempre me habló de la

importancia de regresar el alimento al alimento. Traté de hacerlo con gran respeto e invocando la presencia y las bendiciones de los abuelos y abuelas con mis cantos y oraciones. Sólo recordé un poema de los que Nacha me enseñó y ése es el que utilicé. Espero haber hecho honor a su tradición. Al menos lo hice de todo corazón. Nacha me decía que no sólo hay que agradecer a la Tierra que nos nutra para poder nacer y crecer sobre la Tierra, sino que también hay que agradecer al corazón del cielo. Que todos tenemos un cordón umbilical que nos conecta con él y que por ahí es por donde el cosmos nos alimenta. Desde que escuché este concepto, no puedo dejar de relacionarlo con la Vía Láctea. De ahí debe provenir la savia que nos nutre. Es lindo saber que se pueden echar raíces al cielo. Trataré de recordarlo para cuando la tierra ya no me ofrezca nada.

No hay nada más triste que ver llorar de hambre a un niño. Roberto no paró de llorar en todo el día. El doctor Brown, cuando finalmente apareció, nos explicó que Rosaura tuvo un ataque de eclampsia y que estuvo a punto de morir. Debido a lo delicado de su estado de salud se ha visto incapacitada para amamantar a su hijo. Conseguimos en el pueblo una nodriza que funcionó bien pero el día de ayer cuando venía de camino para el rancho una bala perdida, proveniente de un enfrentamiento armado, la mató. La leche de vaca no le cayó bien a Roberto pues aún no tiene formado su estomaguito. Después de escuchar llorar a mi sobrino por horas, se me ocurrió ofrecerle mi pecho seco al menos para que se entretuviera y el niño lo succionó con tal fuerza que logró sacarme leche. Sí, en serio. No se cómo fue pero ahora tengo leche para darle. Sólo Pedro está al corriente de este hecho inexplicable

y gracias a su cooperación he podido
alimentar a Roberto a escondidas de
mi mamá, quien no sospecha nada.

Hoy fue un día extraño, pues por
primera vez en mi vida vi reflejada
en los ojos de mi mamá una mirada
que no supe interpretar. Era muy dulce.
Salíamos del mercado con las bolsas
del mandado. Fuimos a comprar todo
lo que necesitábamos para hacer el mole
para el bautizo de Roberto, cuando nos
topamos con un señor mulato. Él venía
caminando con su esposa y sus hijos.
Cuando mi mamá lo vio se paró en seco.
El hombre al verla, también se detuvo.
Inclinó su cabeza, se quitó el sombrero
y le dijo: "Mis respetos para usted y
su familia, doña Elena. ¿Cómo están
todos?" "Bien, gracias", le respondió
mi mamá con una voz enronquecida,
rara, como apenada, como si fuera algo
pecaminoso hablar con ese hombre y
apresuró el paso. Inmediatamente volteó
hacia todos lados para ver si alguien
la había visto. De pronto, se dio cuenta
de que yo estaba a su lado mirándola
y se enojó. Me dijo: "¡Qué tanto me

ves, no te quedes ahí como una tonta,
camina!". Con esta frase todo volvió a
la normalidad. Me gustaría entender
por qué mamá vive tan enojada.

Mole de guajolote con almendra y ajonjolí

Ingredientes:

1/4 de chile mulato	1/2 cebolla
3 chiles pasilla	Vino
3 chiles anchos	2 tablillas de chocolate
Un puño de almendras	Anís
	Manteca
Un puño de ajonjolí	Clavo
	Canela
Caldo de guajolote	Pimienta
Un bizcocho	Azúcar
(1/3 de concha)	Semilla de los chiles
Cacahuates	5 dientes de ajo

Manera de hacerse:

Después de dos días de matado el guajolote, se limpia y se pone a cocer con sal. La carne de los guajolotes es sabrosa y aún exquisita si se ha cebado cuidadosamente. Esto se logra teniendo a las aves en corrales limpios, con grano y agua en abundancia.

Quince días antes de matar a los guajolotes, se les empieza a alimentar con nueces pequeñas.

Comenzando el primer día con una, al siguiente se les echan en el pico dos y así sucesivamente se les va aumentando la ración, hasta la víspera de matarse, sin importar el maíz que coman voluntariamente en ese tiempo.

Las almendras y el ajonjolí se tuestan en comal. Los chiles anchos, desvenados, también se tuestan, pero no mucho para que no se amarguen. Esto se tiene que hacer en un sartén aparte, pues se les pone un poco de manteca para hacerlo. Después se muelen en el metate junto con las almendras y el ajonjolí.

Cuando ya están bien molidas las almendras y el ajonjolí, se mezclan con el caldo donde se coció el guajolote y se le agrega sal al gusto. En un molcajete se

muelen el clavo, la canela, el anís, la
pimienta y, por último, el bizcocho, que
anteriormente se ha puesto a freír en
manteca junto con la cebolla picada
y el ajo. En seguida se mezclan
con el vino y se incorporan. Se
mezclan en una olla de barro
grande, se le añaden las piezas del
guajolote, las tablillas de chocolate y
azúcar al gusto. En cuanto espesa, se
retira del fuego.

54

No cabe duda de que es muy cierta la frase que tanto repite mi mamá de que "cuando tú vas, yo ya fui y vine". No hay forma de ocultarle nada. Durante el bautizo de Roberto no me quitó la vista de encima pero con una mirada inusual. Me veía y no me veía. La luz de sus ojos parecía eclipsada. A mí no me importó. Yo estaba tan feliz. El mole nos quedó delicioso, incluso a mamá le gustó, lo cual ya es un decir pues siempre le encuentra un defecto a mis platillos. Que si le falta sal, que si le sobra sal, que si está crudo, que si se quemó. En otras palabras, ella es especialista en encontrar el prietito en el arroz. Por lo mismo, resultó un verdadero halago que me felicitara, pues preparé el mole sin ayuda de nadie, ya que en cuanto regresamos del mercado, mi mamá se encerró en su habitación y no salió hasta la tarde y Chencha andaba muy ocupada arreglando el patio para la fiesta como para echarme una mano. Lo bueno es que me quedó muy rico el mole

y todos los invitados lo disfrutaron. Cuando
llegó la hora de amamantar a Roberto,
le pedí ayuda a Pedro para que cubriera
mis espaldas y con el niño en brazos me
dirigí a la despensa para darle de comer.
Aproveché que mi mamá estaba enfrascada
en una plática con el padre Ignacio para
retirarme sin que lo notara. Me confié, lo
reconozco. Como mamá tenía la mirada
perdida en el horizonte, cosa que yo atribuí
a la aburrida plática que de seguro estaba
teniendo con el padre Ignacio, me fui de la
fiesta de lo más tranquila. Ya instalados
dentro de la despensa, Roberto se pescó
de mi pezón con desesperación y succionó
y succionó tanta leche y en tan poco tiempo que se quedó dormido en mis brazos.
En estas ocasiones me bastaba retirarle el
pezón de los labios para que de inmediato
se despertara y siguiera comiendo pero esta
técnica no me funcionó, gracias a dios, digo
yo, porque lo que hice entonces fue cubrir
mi pecho, meterlo bajo la blusa y tratar
de abotonarme. Fue muy fácil con el pecho,

que quedó vacío y aguado, pero el otro,
del que Roberto no bebió, estaba duro
como piedra y repleto de leche. Tratar
de acomodarlo dentro de la blusa estaba
resultando un poco complicado. Cuando lo
tomaba entre mi mano dejaba escapar
chisguetes de leche. En esas estaba cuando
Pedro entró a auxiliarme.

En sus ojos vi dibujado el peligro. Al
momento de ayudarme a cubrir mi pecho,
Pedro no resistió limpiar con sus dedos la
leche que escurría por mi piel y chuparse
el dedo de manera que me pareció
lujuriosa y fuera de lugar. Escuchamos con
horror los pasos presurosos de mi mamá
que abrió la puerta intempestivamente.
No me canso de agradecer al cielo que
nos dio tiempo perfecto para que a mí me
encontrara totalmente cubierta y a Pedro
con Roberto en brazos. Afortunadamente
siempre tenía una mamila cerca de mí
para simular que el niño se alimentaba
correctamente. Claro que para una

mirada escrutadora como la de mamá nada permanecía oculto. Algo percibió que la hizo endurecer el ceño. Dio media vuelta y salió. Por la tarde, cuando los invitados se habían ido, nos sorprendió a todos al sugerirle a Pedro y a Rosaura que se fueran a vivir a San Antonio con la justificación de que la revolución se estaba tornando peligrosa y no quería que se expusieran. Me impresionó la velocidad con la que planeó todo. Según ella, Pedro y Rosaura podían vivir en casa de unos parientes mientras encontraban dónde rentar y Pedro podía trabajar como contador en la empresa de uno de sus primos.

MADE IN U.S.A

Señor, no lo que yo sino lo que tú
no cuando yo, sino cuando tú
porque no mando yo, si no
mandas tú.

Bautizo del Niño

Roberto Alonso
Múzquiz De la Garza

Capilla de San Isidro Labrador
Piedras Negras, Coah.
De manos del Pbro. Manuel
Guerra

Sus Padrinos:
Jorge Muzquiz Castillos
y Ma. Cristina Estrada
De Muzquiz

Piedras Negras
(antes Ciudad Porfirio Díaz), Coah.
18 de Marzo de 1912.

Desde niña aprendí a oler el peligro en la cocina. Sé perfectamente cuando hay que apagar o cuando hay que avivar el fuego pero no sé qué hacer cuando de cuerpos se trata. Veo venir el incendio y no hago nada por controlarlo a pesar de que estamos bajo la vigilancia constante de mamá. No nos quita la vista un instante, sin embargo, Pedro y yo llevamos días en que nos rozamos cada vez que nos encontramos en los pasillos y tocamos nuestras rodillas bajo la mesa con más frecuencia pero ayer fue el colmo y escuché más alto la voz de alarma en mi cabeza. Hacía tanto calor que mamá decidió que durmiéramos en hamacas fuera de casa. A media noche me urgió ir al baño y me encontré con Pedro, quien había ido a comer un pedazo de sandía helada. Pedro me jaló hacia un rincón y nos besamos y abrazamos y tocamos con desesperación. Aún siento el sabor de la sandía en los labios. No sé qué habría pasado si mamá no me hubiera llamado. Me pregunto hasta dónde era cierto que mi mamá quería que le pasara el abanico o qué tanto sospechaba que Pedro y yo estábamos juntos. Por las dudas, yo regresé de inmediato para no levantar mayor sospecha y me pasé la noche aguantando las ganas de orinar... y el antojo de sandía. De nada sirvió mi continencia urinaria. Mi mamá, a quien parecía que se le había olvidado lo de San Antonio, se movilizó para que en unos cuantos días Rosaura y Pedro se fueran de la casa.

La última imagen que tengo de Roberto es la de un puntito negro en medio del polvo que levantaba la carretela en la cual partió junto con sus padres. Me quedé en la puerta hasta que desapareció por completo de mi vista. El remolino de tierra que dejaron a su paso se mezcló con el galope de los caballos, el llanto del niño, el dolor de mis pechos, la leche goteando en la tierra. Escribo sólo estas cuantas líneas antes de guardar silencio. El frío es insoportable. Mi fuego interno se apagó de golpe. Ya no es capaz de calentar ni fundir ni amalgamar nada. Nada. Me despido por un tiempo. Me estoy quedado sin palabras. Sólo quiero conservar las que Pedro me dejó en este papel que me dio al momento de despedirse de mí y que yo repito una y otra vez como si fuera una oración, no para recordar al cobarde de Pedro, sino

esperando que Roberto me escuche y se
entere que lo acompaño, que lo acompaño,
que lo acompaño.

Me alejaré de ti, pero no te
dejo. Me quedo en el agua,
en el viento, en el ámbar del
atardecer. Me alejaré de
ti, pero recuerda que nunca,
nunca te dejo.

Chorizo Norteño

Ingredientes:

8 kilos de lomo de puerco

2 kilos de retazo o cabeza de lomo

1 kilo de chile ancho

60 gramos de cominos

60 gramos de orégano

30 gramos de pimienta

60 gramos de clavo

2 tazas de ajos

2 litros de vinagre de manzana

1/4 kilo de sal

Manera de hacerse:

El vinagre se pone en la lumbre y se le incorporan los chiles, a los que previamente se les han quitado las semillas. En cuanto suelta el hervor, se retira del fuego y se le pone a la olla una tapadera encima, para que los chiles se ablanden. En el metate se muelen las especias junto con los chiles. Para que se facilite esta operación es bueno poner de vez en cuando unos chorritos de vinagre mientras se muele. Por último, se mezcla la carne muy picada o molida con los chiles y las especias y se deja reposar largo rato, de preferencia toda una noche. Una vez pasado el tiempo suficiente, se procede a rellenar las tripas. Tienen que ser tripas de res, limpias y curadas. Para rellenarlas se utiliza un embudo. Se atan muy bien a distancias de cuatro dedos y se pican con una aguja para que salga el aire, que es lo que puede perjudicar el chorizo. Es muy importante comprimirlo muy bien mientras se rellena, para que no quede ningún espacio.

Hay veces que admiro la capacidad que mi mamá tiene para controlar, dominar, amedrentar. Con una sola mirada es capaz de someter al más valiente. Hace unos días vinieron unos revolucionarios en busca de comida y mamá, con gran valentía y decisión, defendió el rancho. Nicolás no estaba, pues ante la escasez de alimentos se había ido a comprar ganado junto con dos trabajadores de confianza. Rosalío y Guadalupe, los peones que se quedaron, fueron los que estaban al lado de mi mamá cuando llegó la tropa. Dicen que hubo un momento muy peligroso pues los rebeldes intentaron buscar provisiones en la despensa y mi mamá a punta de escopeta se los impidió. Les dijo que tomaran lo que quisieran del granero y de los corrales pero que a la casa no los iba a dejar entrar. Lo que pasa es que dentro de la casa estábamos Chencha, un cochino y yo escondidos en el sótano

y mamá no quería que dieran con nosotros.
Antes de la llegada de los revolucionarios,
mamá había escondido sus posesiones
más valiosas. Sí, el cochino entró en
la misma categoría que Chencha y yo.
Nuestra carne era igual de valiosa. El
cochino porque era el último animal que
nos quedaba y lo pensaba hacer chorizo.
Chencha porque era la única sirvienta
que teníamos y obviamente yo porque soy
la que la va a cuidar hasta el día de
su muerte. Antes de meternos al sótano le
ayudamos a matar gallinas, las llenamos
con granos de trigo y las enterramos en
ceniza dentro de unas ollas de barro
para evitar que a ellas también se las
llevaran. En ese estado duran más
de una semana. Todo salió bien a pesar
de que mi mamá, para demostrar quién
era la que mandaba en el rancho, le
disparó a las pocas gallinas que los
soldados habían encontrado correteando
por ahí. Cuando eso pasó, el capitán
que comandaba la tropa y mi mamá se

miraron fijamente manteniendo cada uno de ellos el dedo en el gatillo. Dice Rosalío que el capitán fue el que no le aguantó la mirada a mi mamá y bajando la vista dio la orden a sus soldados de que no dispararan. Yo debo confesar que en el escondite en el que me encontraba deseé en lo profundo de mi ser que mataran a mi mamá para así poder ser libre, pero no se me hizo. ¡Cómo me duele tener esos pensamientos!

Caldo de Colita de Res

Ingredientes:

2 colitas de res	1/4 de kilo de ejotes
1 cebolla	2 papas
2 dientes de ajo	4 chiles moritas
4 jitomates	Sal y pimienta

Manera de hacerse:

Las colitas partidas se ponen a cocer con un trozo de cebolla, un diente de ajo, sal y pimienta al gusto. Es conveniente poner un poco más de agua de la que normalmente se utiliza para un cocido, teniendo en cuenta que vamos a preparar un caldo. Y un buen caldo que se respete tiene que ser caldoso, sin caer en lo aguado.

La cebolla y el ajo se pican finamente y se ponen a freír en un poco de aceite; una vez que se acitrona, se incorporan las papas, los ejotes y el jitomate picado hasta que sazonen. Se vacía el caldillo

ya sazonado con las papas y los ejotes
en la olla donde se coció la colita de
res. Se deja hervir por media hora
todos los ingredientes juntos.
En seguida, se retira del fuego y se
sirve bien caliente.

Con esta receta me volvió el alma al cuerpo y aquí me tienes escribiendo de vuelta. Qué razón tiene Chencha cuando afirma que un buen caldo puede curar cualquier enfermedad física o mental. Yo estaba fuera de mí desde que me enteré de la muerte de Roberto. Tengo una especie de laguna mental de lo que pasó el día en que mi mamá llamó al doctor Brown para que me internara en un manicomio. Lo único que tengo claro es que cuando me enteré del fallecimiento de mi sobrino grité a los cuatro vientos que mi mamá era la culpable de esa muerte y como respuesta recibí un cucharazo que me fracturó la nariz. Después de eso, efectivamente he de haber perdido la cordura porque no recuerdo nada. No sé cuántas horas pasé en mi encierro en el palomar. En su interior todo era negro hasta que aparecieron ante mi vista un par de ojos azules que

venían a rescatarme. Eran unos ojos a
punto de convertirse en agua derramada.
Eran unos ojos que arropaban y protegían
mi cuerpo desnudo. Esos acuosos ojos
pertenecían de John Brown, quien me
cubrió con su abrigo, me bajó del
palomar, me subió a su carretela y, en
lugar de al manicomio, me trajo a su
casa. Han pasado varios meses desde ese
afortunado día. Vivir en esta casa es
un regalo, es lo mejor que me ha pasado
en la vida; sin embargo, hasta antes de
probar el caldo de colita que Chencha
me trajo yo no había podido reconectar
completamente con mi alma. Al dar el
primer sorbo, vinieron a mi mente todos
los olores y los sabores de la cocina de
Nacha, esa admirable mujer que sin
ser mi madre, utilizó una cuchara para
alimentarme amorosamente, lo opuesto a
mi madre verdadera, quien la utilizó
para romperme con ella la nariz.
Mientras me comía mi caldo, Chencha
no paró de hablar. Me puso al corriente

de todo. No le paraba la boca. La
verborrea de Chencha es impresionante. Comienza a hablar y se sigue
de corridito, cual hilo suelto en una
media. Al finalizar mi caldo, le pedí
a Chencha que le dijera a mi mamá
que no pensaba regresar nunca más
a casa. Luego nos despedimos. Hoy
lloré mucho abrazada a Chencha, sí,
pero era un llanto liberador, sanador.
Cómo le agradezco a Chencha la
visita. Entre otras cosas me trajo mi
diario. Dice que en cuanto dejé la
casa ella fue a mi habitación y lo
recogió para que mi mamá no fuera a
leerlo. Le preocupaba que se enterara
de cosas tan comprometedoras. Yo
estaba tan contenta que no reparé
que si Chencha sabía del contenido de
mi diario era porque de seguro ya lo
había leído al revés y al derecho. No
me enojé, al contrario me dio risa.

¡Con razón la chismosilla de Chencha,
en cuanto vio que yo llevaba un diario,
había puesto tanto empeño en aprender
a leer y escribir!

Ayer dormí como piedra. ¡Qué alivio
fue mandarle decir a mi mamá que no
pienso volver a casa! También disfruté
enormemente el silencio que quedó en mi
cuarto cuando Chencha se fue. Chencha
es adorable ¡pero cómo habla! No estoy
diciendo que me molestó su plática pero
me aturdió. Había pasado tantos días sin
hablar con nadie que resultó demasiado
ruido para mis oídos. Lo que pasa es que
el silencio fue mi único compañero durante
el tiempo que tardé en recuperarme. Me
negaba a hablar. Consideraba que no había
manera de que pudiera expresar mi pena.
No encontraba las palabras para hacerlo.
No quería ver nada ni escuchar nada
ni hacer nada. Más bien quería dormir,
dormir y dormir, y con suerte no volver a
despertar pues sentía que el mundo, aparte
de dolor, no tenía nada que ofrecerme.

Claro que por alguna razón tampoco
estaba preparada para morir, más
bien esperaba que manteniendo los
ojos cerrados al mundo, dentro de mí
pudiera encontrar alguna imagen,
algún sonido, algún recuerdo que me
reviviera. Toparme con una especie de
libro interno donde yo pudiera leerme,
entenderme, reconocerme, reconfortarme.
Lo único que tenía claro es que ya No
Quería ser la cuidadora de mi mamá.
No quería obedecer sus órdenes por
el resto de su vida. Tampoco quería
recordar la muerte de Roberto. No
podía pensar en otra cosa durante el
día. Cuando dormía se me olvidaba
pero, en cuanto abría los ojos, lo primero
que me venía a la mente es que el niño
se había muerto de hambre sin que yo
pudiera alimentarlo.

Lo encontré en el jardín de John

Creo que mi deseo de estar y no estar dentro de mi cuerpo, de morir y no morir, me trasladó a otros lugares. Fue una especie de viaje o sueño o no sé qué. Ya lo había experimentado durante mi infancia pero de manera diferente. Yo era capaz de estar al lado de mi mamá por largas horas sin estar realmente ahí. Mi mente viajaba por otros lugares hasta que escuchaba el grito de "¿Me estás entendiendo, niña?" En ese momento tenía que volver de inmediato y poner ojos y oídos al servicio de mamá. En casa de John fue diferente. Me di cuenta de lo que pasaba un día en que estaba sentada al lado de una mujer kikapú con la que acostumbraba a tomar té diariamente; de pronto John se presentó ante mi vista y la kikapú desapareció. Me alarmé. Pensé que tal vez mi mamá estaba en lo correcto y me estaba volviendo loca pero de mis labios no salió una sola palabra. No pregunté nada. Dejé que John fuera el que hablara. Me gustaba escucharlo.

En una mañana a su lado aprendía
mucho más que en toda la primaria. Así
que continué tejiendo como si no hubiera
pasado nada. John se encontraba rodeado
de tubos de ensayo y extraños aparatos
científicos. No sé qué estaba haciendo.
Levantó la vista y me preguntó: "¿Cómo
va su crisálida?", refiriéndose a mi
enorme colcha. Yo levanté los hombros como
respuesta. John sonrió y continuó con su
trabajo. Me agrada la forma en que
John respeta mi silencio. Nunca dejaré de
agradecerlo. Yo regresé a mi tejido pero
disimuladamente buscaba con la vista a
la kikapú hasta que la descubrí en una
foto que colgaba de la pared. John se
percató de ello y me preguntó: "¿Se gusta
la foto? Es de mi abuela. Se llamaba
Luz del Amanecer. Era una india kikapú
que sabía mucho de plantas y podía curar
a mucha gente con ellas. Claro que a la
mayoría de la familia le llevó muchos
años aceptarla. La encontraban extraña.
Una especie de salvaje. Hasta que

finalmente todos fueron siendo curados
por ella y terminaron queriéndola
mucho. Aquí precisamente era donde
ella se refugiaba y preparaba sus tés
y por eso mismo construí mi laboratorio
en su lugar favorito". John me puso la
foto en las manos y con sorpresa vi en
ella la fecha de ¡1847! ¿Cómo fue que
yo pasé tanto tiempo con esa mujer que
murió antes de que yo naciera? No
lo sé. Lo único cierto es que ella me
enseñó a escuchar el silencio.

Dr. John Brown

Hoy nuevamente acudí al laboratorio
de John pero sabiendo que ya no iba a
encontrar a Luz del Amanecer. Encontré
a John haciendo cerillos y, como siempre,
ante mi silencio, él tomó la palabra.
Primero me habló de que Brandt, un
químico que intentaba encontrar la piedra
filosofal uniendo extracto de orina con un
metal, fracasó en su búsqueda y en lugar
de descubrir cómo fabricar oro, descubrió
el fósforo que es un cuerpo luminoso que
arde con gran vivacidad. Me dijo que al
principio lo obtenían calcinando el residuo
de la evaporación de la orina pero ahora
se extrae de los huesos de los animales que

son ricos en ácido fosfórico y cal. Luego
me dijo que como todos tenemos orina y
huesos, todos tenemos en nuestro interior
los elementos necesarios para producir
fósforo. Más tarde lo observé hacer un
experimento con fósforo, mercurio y una
vela. Primero fundió el fósforo y el
mercurio dentro de un tubo de cristal con
la ayuda de una vela; luego, utilizando
una campana de ensayos, hizo pasar gas
oxígeno lentamente. Cuando el oxígeno se
encontró con el fósforo fundido se encendió
y me deslumbró. Yo nunca me habría
imaginado que los cerillos se hacen de
esta manera. Uno compra la cajita y
ya, sin idea de todo lo que hay atrás.
Me encantó lo que hoy aprendí en el
laboratorio pero lo que más me impactó
fue una teoría que Luz del Amanecer
tenía. Dice John que su abuela estaba
convencida de que todos nacemos con una
caja de cerillos en nuestro interior pero
no los podemos encender solos. Necesitamos,
como lo acababa de ver en el experimento,

de la ayuda de una vela y de oxígeno.
El oxígeno puede provenir del aliento
de una persona a la que amemos, la vela
puede ser cualquier comida, música,
caricia, palabra que haga detonar
uno de los cerillos. Entonces se supone
que sentiremos una gran emoción y un
intenso calor que irá desapareciendo
con el tiempo. Ese calor es lo que nutre
de energía al alma. Esa combustión
es su alimento. Si uno no descubre a
tiempo cuáles son sus detonadores la
caja de cerillos se humedecerá y ya
nunca podremos encender uno solo de
los cerillos. Las palabras de John me
hicieron reflexionar mucho. Temo que mi
caja de cerillos esté irremediablemente
humedecida.

Masa para hacer fósforos

Ingredientes:

1 onza de nitro en polvo
½ onza de minio
½ onza de goma arábiga en polvo
1 dracma de fósforo
Azafrán
Cartón

Manera de hacerse:

Disuélvase la goma arábiga en agua
caliente hasta que se haga una masa no
muy espesa; estando preparada se le une
el fósforo y se disuelve en ella, al igual
que el nitro. Se le pone después el minio
suficiente para darle color.

Ya teniendo la masa para los fósforos,
el paso que sigue es preparar el cartón
para las cerillas. En una libra de agua
se disuelve una de nitro y se le agrega un
poco de azafrán para darle color y en
esta solución se baña el cartón. Al secarse

se corta en pequeñas tiritas y a éstas se
les pone un poco de masa en las puntas.
Poniéndolas a secar, enterradas en
arena.

Poco a poco he ido recuperando el habla. Ya me dan ganas de salir de mi recámara, de hablar con John, de jugar con su hijo, de integrarme a la vida de esta pacífica y amorosa familia. Además, he ido descubriendo que mis manos pueden hacer infinidad de cosas. Atender a mi mamá era sólo una de las cosas que podía hacer pero ahora que no vivo para ella, que soy libre, he aprendido a preparar nuevas recetas y a practicar nuevas puntadas de tejido. Sin límites, sin restricciones. Al lado de mi mamá sólo había dos formas de hacer las cosas: bien o mal. Y mi quehacer se limitaba al sí o no que saliera de sus labios. Ahora veo que también existe el tal vez, el por qué no, el vamos a intentar, el que tal si... Quizá ésa es la razón por la que me encanta el tejido a pesar de que sólo hay dos puntadas a utilizar: derecho y revés, a partir de éstas uno puede inventar infinidad de combinaciones.

Lo mismo pasa en la cocina, lástima
que mi mamá sólo aceptara una
forma de cocinar tal o cual platillo.
No había manera de ensayar nuevos
sabores o nuevas combinaciones. Se
tenía que respetar la receta pasara
lo que pasara. Caty, la cocinera de
John, me ha enseñado nuevas recetas.
Hoy aprendí a cocinar "San Antonio
Chili", una receta que John y Alex,
su pequeño hijo, disfrutan mucho.
La encontré agradable. Hasta ahí.
Es cosa de que vaya acostumbrando
mi paladar a apreciar estos nuevos
sabores. Lo importante es que durante
la comida platicamos y reímos. A John
le gustó mucho el platillo. Me comentó
que la primera vez que lo probó fue
en la feria de Chicago, donde conoció
a Tesla, su admirado científico, pero
que cocinado por mí resultaba todo un
deleite. Me gustó el halago. Al término
de la comida, John tomó mis manos
entre las suyas para agradecerme

haber cocinado para él y con agrado
descubrí que me gusta el contacto con
su piel. Creo que estoy comenzando a
sentir por John algo más que mero
agradecimiento.

San Antonio Chili

Ingredientes:

2 libras de espaldilla de res, cortado en cubos de media pulgada

1 libra de lomo de puerco, cortado en cubos de media pulgada

¼ taza de sebo

¼ taza de grasa de puerco

3 cebollas medianas, picadas

6 dientes de ajo, finamente picados

1 litro de agua

4 chiles anchos

1 chile serrano

6 chiles rojos secos

1 cucharada de semillas de comino, recién molidas

2 cucharadas orégano

Sal al gusto

Manera de hacerse:

Se le pone un poco de harina a los cubos de carne de res y de puerco antes de freírlos. Se saltean rápidamente

a fuego muy alto. Luego se agregan la
cebolla y el ajo y se dejan cocinar junto
con la carne hasta que las cebollas estén
acitronadas. Se agrega el agua y se deja
cocer a fuego lento mientras se preparan
los chiles. Los chiles se desvenan y se les
quitan las semillas, y se pican finamente.
Se muelen en un molcajete junto con
el orégano y la sal. Esta mezcla se
incorpora a la carne y se deja cocer a
fuego lento 2 horas más. Cuando el sebo
se espuma, se retira procurando quitar la
grasa sobrante.

Anoche estaba observando esta foto en la que aparezco con mis hermanas. Es una de las pocas que Chencha me trajo junto con mi diario. Nos la tomamos en una feria. Me gusta porque parece que estoy sentada en la luna. De niña disfrutaba imaginando que esa luna de cartón era una luna de a de veras. El recuerdo me dio tristeza y unas lágrimas se me escaparon. En ese momento John pasaba por ahí, se acercó y me preguntó si me sucedía algo. Yo le dije que no pero él alcanzó a ver la foto que tenía en las manos y me preguntó: "¿Extraña mucho a sus hermanas?" Yo le respondí: "Sí, pero no es tanto la nostalgia que me provoca esa foto, sino el sentimiento que tengo de que ese cielo que tenemos a las espaldas es uno que jamás podré recuperar". John, como respuesta me dijo: "Póngase su colcha encima porque vamos a salir". Me subió a la carretela y nos internamos en un camino que nos alejó unos kilómetros de la ciudad. Era una noche despejada y se podía observar todo el firmamento. Yo pensé: ¿Y esto qué? En el jardín de la casa también podíamos haber visto las mismas estrellas. Bueno, tal vez no tantas ni tan luminosas pero sí muchas. Decidí no quejarme ni preguntar nada. John me invitó a sentarme y lo hicimos sobre mi colcha. De pronto comenzó a caer una lluvia de estrellas. Nunca había visto algo más bello. Voltee a ver a John y con un guiño en el ojo me dijo: "Un amigo astrónomo me anunció este evento". Los dos decidimos guardar silencio y disfrutar del espectáculo. El cielo nos cayó encima y me conmovió hasta las lágrimas. John me abrazó para confortarme pero de pronto me besó. En ese momento ya no supe si con ese beso John me subió al cielo o el cielo bajó a la Tierra. Con todo y los ojos cerrados sentía relámpagos de luz en mi interior. Estaba recuperando, y con creces, el cielo de cartón que aparecía en una foto lejana. Y entendí que Nacha estaba equivocada, había otras formas de alcanzar el cielo. Más tarde, cuando regresamos a su casa tomados de la mano, John me explicó que nunca perdemos el cielo. Que lo llevamos dentro. Que todos los átomos que componen nuestro cuerpo algún día se formaron en el interior de las estrellas. Me recordó el experimento de los cerillos y el fósforo. Me habló del carbono, del hidrógeno y de muchas otras cosas pero yo no puse tanta atención en sus palabras pues seguía celebrando que ¡mi caja de cerillos no estaba irremedia- blemente humedecida! John, esa noche estrellada, esa noche luminosa, esa noche de amor, había encendido varios cerillos con su beso. Incluso temí que se me fuera a encender toda la cajita de golpe tal y como le advirtió su abuela a John. Ella dijo que si a causa de una profunda emoción eso sucediera, uno sería capaz de ver el túnel luminoso que nos separa del otro mundo y correría el riesgo de querer transitarlo. Lo bueno es que eso de ninguna manera pasó. Gracias a Dios, digo yo, pues ahora menos que nunca quiero morir. Ayer no

hubo necesidad de que se me declarara
ni de que yo aceptara. Esas formalidades
quedaban superadas por la explosión de luz
que nos acompañaba.

Querido diario, no sientas que soy ingrata.
Es cierto que cuando estoy muy feliz te
abandono y vuelvo a ti sólo para contarte
mis penas pero qué quieres, así es la vida.
Discúlpame. Veo que no escribo nada
desde la lluvia de estrellas. Trataré de
ponerte al día. A la mañana siguiente
de esa inolvidable noche, hablé con John
pues consideré que no era correcto seguir
viviendo bajo el mismo techo pues el beso
que nos dimos de seguro iba a querer
repetirse. Le dije que buscaría un sitio
en donde vivir y que podría solicitar
trabajo como cocinera en algún lado.
John se rio y me dijo que de ninguna
manera lo consideraba algo urgente y
que no lo permitiría. Hablamos largo
rato. Me dijo que desde la muerte de su
esposa él no había vuelto a sentir un amor
tan profundo como el que ahora sentía
por mí. Para ahorrar tiempo, te cuento
que me pidió matrimonio. Me dijo que
lo último que él desearía es exponerme a
las habladurías, así que sugería agilizar

nuestra boda. Por supuesto que acepté su propuesta. A su lado soy muy feliz. Claro que también lo previne respecto a que de seguro tendríamos que enfrentar la negativa de mi mamá para la realización del matrimonio. John confía en que va a poder convencerla por las buenas, yo opino que no, pero por si acaso nos vamos a poner a investigar a qué edad uno obtiene la mayoría de edad según el Código Civil. Tengo entendido que con la autorización de sus padres, a los hombres les es permitido contraer matrimonio a la edad de catorce años y en el caso de las mujeres a los doce. En caso de que no cuenten con ella, tanto hombres como mujeres deben esperar hasta los veintiún años que es cuando obtendrán la mayoría de edad. Yo estoy a punto de cumplir dieciocho, así es que en dado caso tendría que esperar tres años más. ¡Una eternidad! La cosa va tan en serio que John ya habló con su hijo Alex. El niño está contento con la noticia. Nos llevamos muy bien. Hemos pasado muchos días jugando y cocinando. Si al principio trataba de no encariñarme de nuevo con un niño ajeno, ahora que sé que me voy a casar con su papá, sin ningún temor he abierto mi corazón hacia él y el niño me ha correspondido de igual manera. Y justo ahora que soy tan feliz, Nicolás, el trabajador del rancho, vino a verme para darme la noticia de que el mismo día que Chencha me visitó unos bandoleros habían atacado el rancho. A Chencha la habían violado y a mi mamá le habían dado tantos golpes que estaba paralizada de la cintura para abajo. Al saber la noticia, Paquita Lobo, la vecina más cercana, sugirió que me buscaran, pero mi mamá se negó terminantemente a que lo hicieran pues dijo que no quería saber nada de mí. Conforme fueron pasando los días Nicolás consideró oportuno comunicármelo porque pensó que aparte de mí no había nadie más que pudiera atender a mi mamá tal

y como ella estaba acostumbrada. Más
bien me imagino que no hay nadie que
aguante los gritos que mamá da a los que
no siguen sus instrucciones. La noticia me
afectó. Cualquier persona bien nacida
hubiera salido corriendo al lado de su
madre pero ése no fue mi caso y ya no
sé qué pensar de mí. Me tomó un rato
hablar con John y junto con él tomar la
decisión de mi regreso al rancho. John
se ofreció a llevarme y a hacerse cargo
de los cuidados médicos que mi mamá
requiriera. Sólo le pido a Dios que me dé
la fortaleza que necesito.

La verdad, todos estos meses para nada me había hecho falta ver a mi mamá. Mucho menos servirla. Nunca extrañé cocinarle, ni plancharle, ni bañarle, ni peinarle y ahora que me veo forzada a hacerlo me doy cuenta de que hay una parte del trabajo doméstico que me produce gozo. Lo que rechazo y seguiré rechazando es el trabajo que se realiza por obligación. El otro no. Me gusta levantarme temprano, ir al mercado, recorrer los puestos, aspirar el aroma de las frutas, de las verduras, dejarme seducir por ellas y planear lo que voy a cocinar dependiendo del antojo, del deseo. Me gusta tocar las verduras con mis manos, sopesarlas, acariciarlas, escucharlas. Siento que me hablan, que me dicen "aún me faltan dos días para madurar" o "ya se acabó mi tiempo, regrésame a la tierra" o "me encantaría que me matrimoniaras con la cebolla y unos nopalitos". Me gusta comprar flores y ponerlas en la mesa. Me gusta comprar

velas y encenderlas en su momento. Me
gusta colocar un bello mantel que yo
misma bordé y planché. Me gusta la
armonía, la belleza, la limpieza. Me gusta
que mi cocina, mi recámara, mi mesa,
incluso mi orinal se conviertan en templos,
en espacios en los cuales comparto mi
tiempo, lo que he hecho con mi tiempo, con
los demás. Me gusta cantar mientras lavo
la ropa. Me gusta bailar mientras barro
con la escoba. Y me gusta quedarme en
silencio mientras tejo, mientras bordo,
mientras deshilo, porque entre puntada y
puntada, mi alma, como si de una pieza
de tejido se tratara, se anuda, se enlaza
en un espíritu; no sé cómo lo llamarían
John y sus amigos científicos pero para
mí se trata de una energía de carácter
divino que está presente en todo instante
y en todo lugar y que da paz, que alimenta, que nutre. Por lo mismo no me
gustan las personas que se sientan a la
mesa y ni siquiera se dan cuenta de que
uno puso unas flores. Que se embuten la

102

comida sin siquiera saborearla. Que les
pasa desapercibido el cariño que uno puso
en la elaboración de un platillo, o sea,
básicamente me molesta mi mamá. No sé
si antes de su accidente yo le habré hecho
falta, pero en cuanto nos vimos observé
que definitivamente le dio gusto verme
y que se tuvo que guardar su orgullo en
el fondo del corsé para no correrme a
patadas. Ahí estábamos las dos viéndonos
frente a frente después de tanto tiempo y
por primera vez en la vida, ella fue la
que no me sostuvo la mirada. Yo ya no
soy la de antes y tal vez tampoco cocino
como antes porque de inmediato mamá se
empezó a quejar de que mi comida tenía
un sabor amargo. Como siempre, ante
sus reclamos no supe qué decir. Llegué
incluso a pensar que en el tiempo en que
no cociné mis manos fueron perdiendo su
aroma a cebolla y que ése era un factor
que estaba interviniendo en el cambio
de mi sazón, pero luego descarté este
argumento porque curiosamente sólo mi

madre detectaba una alteración en el sabor de la comida. Chencha agradecía mucho mi regreso a la cocina y decía que mis caldos la sanaban más que las medicinas. Me da mucho gusto poder brindarle algo de ayuda y consuelo, pues ella había llegado al rancho siendo una niña y nunca había tomado un descanso.

Chencha regando la hortaliza.

Querido diario, hoy murió mi mamá. No sé qué sentir. Por un lado siento alivio, por otro, culpa y, finalmente, pena. No entiendo qué pasó. Su deterioro fue muy rápido. Comenzó con la idea de que yo la estaba envenenando. Exigió que Chencha le cocinara. Chencha no aguantó los reclamos y se fue a su pueblo. Luego desfilaron por la casa una serie de cocineras que no duraron más de una semana. Mamá terminaba corriéndolas de alguna manera. Finalmente sólo quedé yo para atenderla y cocinarle. Siguió insistiendo en que la comida tenía un sabor amargo proveniente de algún tipo de veneno que yo de seguro le daba. Comenzó a tomar vino de Ipecacuana para contrarrestar los efectos del supuesto envenenamiento y finalmente eso fue lo que aceleró su partida pues es un vomitivo tan poderoso que tomado en exceso puede provocar la muerte. Te dejo pues tengo que preparar el funeral. Afortunadamente John está a mi lado y brindándome su apoyo.

Me cuesta un trabajo enorme imaginar a mi mamá abrazando y besando a mi papá. Mucho más imaginarla haciendo el amor con otro hombre. Y de plano me duele la cabeza al concebirla tan enamorada que en determinado momento hubiera estado dispuesta a abandonarlo todo para huir con ese hombre. Con un hombre mulato, con un hombre que su familia rechazaba, con un hombre con el que en su juventud le prohibieron casarse y del cual se embarazó ya estando ella casada con mi padre. Uf. Qué difícil. En sólo unas horas la historia de mi familia se derrumbó para siempre. Descubrí que la verdad no era verdad. En un segundo mi mamá dejó de ser la villana del cuento y se convirtió en una triste princesa. En la princesa mendiga. Personaje de novela con la cual yo siempre me he identificado. Resulta que cuando estaba vistiendo a mi madre para el funeral, descubrí que bajo su camisón escondía una llave en forma de dije. Era la llave que abría su cofre del tesoro. No me pude resistir y corrí a abrirlo. Desde niña sabía dónde estaba. Era un cofre que ella siempre guardaba en su ropero. Dentro de él encontré las fotos y la correspondencia secreta que mi madre sostuvo con José Treviño, así como un pequeño diario. Por medio de su lectura me enteré de que Gertrudis era hija de ese hombre y no de papá. Que cuando se supo embarazada del tal José, mi mamá y su amante hicieron planes para huir juntos pero la noche en que iban a escapar José fue herido de muerte en una emboscada. Mi tía Cuquita, una de las hermanas de mi mamá, le informó que había fallecido. Me imagino el dolor que ésta noticia la causó a mi madre. Lo peor de todo es que no era cierto, le mintieron deliberadamente. A José efectivamente lo habían mandado matar pero no lo lograron. Los autores intelectuales del ataque fueron mi abuelo y mi tío Rafael y los que ejecutaron la orden fueron unos trabajadores del rancho, quienes botaron el cuerpo de José del otro lado de la frontera con la advertencia de que si volvía lo matarían sin piedad.

Mi madre se enteró de todo esto por boca de su amiga Paquita Lobo, quien no pudo guardar por más tiempo el secreto que mi tía Cuquita le había confiado bajo la promesa de que no lo divulgara. Paquita, al ver sufrir tanto a mi mamá, le contó todo lo que sabía. Desgraciadamente lo hizo demasiado tarde, cuando Gertrudis ya había nacido. En esa época José regresó. No se daba por vencido. Desapareció de la ciudad por un tiempo pero volvió tres años después y con la clara determinación de llevarse a mamá con él. Mamá y José se encontraron varias veces a escondidas. Hicieron planes para huir que obviamente no se realizaron. Eso es lo último que escribió en su diario. A partir de este momento todo es confuso.

No sé que pasó. No entiendo por qué mi
mamá siendo tan fuerte no huyó con él.
¿Sería porque ya estaba embarazada de
mí? No sé cuál fue el impedimento que se
les presentó. En verdad todo lo que pienso
son puras suposiciones porque en su diario
sólo hay páginas blancas. Como si mamá
se hubiera muerto en vida. ¿Qué pasó con
José? Me imagino que se ha de haber
ido de la ciudad por alguna razón que
desconozco. Y me imagino también que ese
señor es el mismo que nos encontramos en
el mercado el día que fuimos a comprar
todo lo del mole. Tengo una cantidad
de dudas que nadie me puede ayudar
a responder. Por ejemplo, ¿el que su
hermana Cuquita fuera la que le dio la
falsa noticia de la muerte de José fue el
motivo de que mi mamá nunca la volviera
a ver ni a hablar con ella? Es más,
yo nunca supe de su existencia hasta el
día de hoy en que se presentó al velorio
acompañada de mi tío Rafael, a quien
tampoco tenía el gusto de conocer. ¿Por

qué mamá si tuvo la fuerza de cortar toda relación con su familia no la utilizó para irse con el amor de su vida? La última del día es ¿mamá me puso Josefa en honor a José? Es lo más probable porque ella era la única que de vez en cuando me decía Josefita. Todos los demás lo hicieron con el apelativo de Tita.

Hoy casi al final de la ceremonia
luctuosa llegaron Rosaura y Pedro
para el funeral de mamá. Tarde, pero
a tiempo de agradecer a los vecinos
su presencia. Rosaura trae una gran
panza de embarazada y Pedro una
enorme tristeza. Me dolió ver su mirada
de hombre vencido, de hombre que no
ha sido dueño de su voluntad, o tal vez
no es ninguna de las dos cosas, sino
simplemente la mirada de hombre que
vio morir a su hijo. Me dolió verlo
llegar sin Roberto. No nos veíamos desde
el día de su partida. Ahora regresaba
con los brazos vacíos, sin niño. Cuando
me abrazó para darme el pésame no
pude evitar que mi cuerpo vibrara como
antes, lo cual me incomodó. Pedro no
merece que yo lo quiera tanto y John
de ninguna manera merece que yo tenga
ese tipo de sentimientos hacia nadie.
Tuve temor de vivir nuevamente cerca
de Pedro. Sentí náuseas. Mi estómago
presintió algo. No sé qué. Rosaura me

salvó de profundizar en mis emociones, pues no sé si a causa del viaje o la impresión que le causó la muerte de mamá, pero el caso es que se le adelantó el parto. Afortunadamente, John se encontraba ahí y le pudo brindar los mejores cuidados. El parto fue muy complicado porque la placenta de Rosaura había echado raíces en el útero y no se podía desprender. John tuvo que realizarle una intervención quirúrgica de emergencia. Luego John me explicó lo peligroso que es ese tipo de problema, pues una persona inexperta, al ver que no se desprende la placenta, la puede jalar utilizando el cordón umbilical y junto con él se trae el útero completo. Gracias al Señor eso no sucedió. De cualquier manera, Rosaura no va a poder tener más hijos. Yo pienso que quizá esa bella niña que Rosaura dio a luz, de alguna manera sabía que iba a ser la más pequeña y la única hija que mi hermana tendría y que según la tradición familiar no se podría casar para quedarse a cuidar a su madre y por eso echó raíces en el útero.

En medio del alboroto del nacimiento de mi sobrina se me olvidó comentarte que ayer, mientras Pedro y yo estábamos sentados en la sala en espera de noticias de Rosaura, me dijo: "La veo muy cambiada, Tita", y yo le respondí: "Ha de ser porque ahora yo hago lo que quiero y no lo que me mandan hacer". Se lo dije con mala intención y Pedro lo percibió. Aún no terminaba de decirlo cuando ya me estaba arrepintiendo. Hice sentir mal a Pedro con toda ale- vosía. Sigo enojada con él. Pedro bajó la cabeza, guardó silencio y ya no quiso hacerme plática. Cuando John salió con la niña en brazos y se la dio a Pedro para que la cargara, Pedro dejó escapar unas lágrimas. Me conmovió. No lo pude evitar.

Pedro me trajo esta foto con la
última imagen de Roberto.

A partir del regreso de Rosaura y
Pedro al rancho, no he podido dormir
bien. Los rechinidos de la duela del piso
de la recámara de Pedro me despiertan.
Camina de un lado al otro como león
enjaulado desde que se enteró que me voy
a casar con John. Bueno, pues ya sabe
lo que se siente. Al menos yo me ponía a
tejer sin molestar a nadie, no como él.
Si no tiene sueño, ¿por qué no se sale a
caminar? Qué desconsideración para los
que tenemos que descansar. La llegada
de mi sobrina Esperanza (así la van a
llamar: querían ponerle Tita pero yo me
opuse, no quiero que ese nombre marque un
destino injusto) me ha puesto a trabajar
doble. Rosaura sigue en cama y yo sola
tengo que atenderla a ella y a la niña.
Esta vez no quiero cometer el mismo error
que con Roberto así que me he empeñado
en que Rosaura sea quien amamante a
su hija. Vamos bien. A diario le preparo
un champurrado y gracias a él Rosaura
tiene leche de sobra. Lo malo es que hay

que subir y bajar escaleras todo el día,
pues como a la niña le gusta dormir
entre el calor que despiden las ollas y
comer arriba con su madre, pues ahí
me tienen subiendo y bajando escaleras
todo el santo día y frotándome el tónico
Volcánico en las piernas por las noches.

Champurrado

Ingredientes:

5 tazas de agua
1 taza de masa de maíz
1 tablilla de chocolate
1 raja de canela
Piloncillo rallado al gusto

Manera de hacerse:

Se ponen 3 tazas de agua a hervir. Las otras 2 tazas se utilizan para disolver en ellas la masa de maíz con la ayuda de un tenedor, procurando que no le queden grumos. Luego, con la ayuda de un colador se incorpora la masa al agua hirviendo. Se deja hervir un par de minutos más y luego se le añade la tablilla de chocolate partida en trozos, la raja de canela y el piloncillo rallado. Se deja hervir 5 minutos más y se retira del fuego.

Con la novedad de que Pedro ya suspendió
sus caminatas dentro de la recámara.
Parece que entendió que a todos los que
tenemos que escuchar sus pasos toda la
noche nos resulta molesto su insomnio.
Ya dejó de caminar de un lado a otro
pero ahora le dio por salir a montar a
caballo en las madrugadas. Bueno, más que
montar, se pone a cabalgar a todo galope.
Cuando regresa se da un baño con agua
fría y baja a desayunar muy tranquilito
pero ante cualquier eventualidad que se
presenta, brinca con impaciencia. No
puede controlar su temperamento. Se ha
vuelto un hombre explosivo que hace unos
esfuerzos sobrehumanos para comportarse
adecuadamente. Me siento culpable. Yo sé
lo mal que se ha de sentir. Los celos son
un verdadero tormento. En cuanto pueda
le voy a preparar una taza de chocolate.
Cuando Nacha murió encontré entre sus
pertenencias una receta que decía "para
abrir el corazón" y no es otra cosa que
una taza de chocolate que se prepara de

manera ceremonial y se bate con un
canto y un ritmo especial. No tengo la
menor idea de cuál es la melodía ni cuál
el ritmo pero haré mi mejor esfuerzo.
Al menos repetiré las frases de toda el
alma esperando que a Pedro se le abra
el corazón y libere todo el dolor y la
tristeza que encierra su alma.

No sé por dónde comenzar a narrar lo
que pasó el día de hoy. Tal vez lo mejor
sea ir en el orden en que fueron pasando
las cosas. Me levanté mucho antes del
canto de los gallos para que me diera
tiempo de preparar el mole para el
champandongo. Hoy por la noche John
viene a pedir mi mano y decidí que este
platillo era muy adecuado para la ocasión
porque, aunque lleva muchas horas de
preparación, al ser un solo platillo que
se sirve acompañado de arroz y frijoles,
aligera el servicio en la mesa. Me
resulta extraño que ahora Rosaura, en su
carácter de tutora, sea la que tiene que
autorizar mi matrimonio. Mi mamá le
adjudicó esa función hasta que yo alcance
la mayoría de edad. En su testamento
también la dejó como la albacea para que
se encargará de administrar el rancho
mientras yo puedo recibir la parte de
la herencia que me corresponde. Creo
que me estoy saliendo del tema. Bueno,
mientras el mole se estaba cocinando

y aprovechando que aún todos estaban
dormidos y había mucho silencio en la
casa, se me ocurrió que sería bueno
preparar la taza de chocolate ceremonial
para Pedro. No quería que a la hora de
la cena se pusiera impaciente ni grosero.
Puse el agua en la lumbre y cuando
estaba a punto de ebullición, le añadí el
chocolate. Cuidé de no dejarlo hervir y
de molerlo siguiendo las instrucciones del
ritual del chocolate. En ese momento ya
estaba amaneciendo. Recordé que Nacha
alguna vez me mencionó que todos nuestros
actos debían de estar de acuerdo al
ritmo de los cielos. Es muy simple, ellos nos
indican cuándo se debe sembrar, cuándo
se debe cosechar, cuándo se debe dejar
descansar a la tierra, cuándo se debe
regarla. La naturaleza es muy sabia,
decía ella, hay que escucharla con cuidado.
Así que en ese momento le pedí su ayuda
al sol para que de alguna manera me
indicara cuál era el ritmo que debía
seguir al batir el chocolate. No quería

ir a destiempo. Quería latir al mismo tiempo que ellos. Quería que el ritmo de mis manos fuera el pulso del universo. Creo que funcionó muy bien pues cuando Pedro bajó a desayunar se lo serví junto con su desayuno y pude observar cómo se le transformó el rostro. Sus ojos comenzaron a brillar como aquella vez en que en la iglesia descubrí el amor. Al terminar de beber la taza, salió a la huerta, se sentó a la sombra del manzano y se tapó la cara con las manos. Me imagino que estaba llorando, que estaba sacando todo su dolor. No lo volví a ver hasta la hora de la comida cuando se acercó para tratarme de convencer de que no me casara. Unos minutos antes yo venía bajando las escaleras con la olla del mole en las manos, se me cayó y se regó por todos lados. Pedro no pudo haber elegido peor momento para hablarme. Le grité, le dije que él no era nadie para pedirme eso después de lo que había hecho. Pedro trató de justificarse

con su argumento de siempre: que
se casó con Rosaura porque quería
estar a mi lado y yo lo acusé de
ser un cobarde por no haberse
atrevido a huir conmigo. Bueno, temo
que el poco o mucho beneficio que le
proporcionó beber la taza de chocolate
que amorosamente le preparé se fue
al traste en ese mismo instante. Yo
terminé temblando y él deprimido.
Ahora sí que me sentía como agua
para chocolate. Afortunadamente
en ese momento regresó Chencha al
rancho. Venía radiante. En su pueblo
se había reencontrado con el que fue
su primer novio y se habían casado.
Chencha, al ver el estado en que me
encontraba, me mandó a descansar
y tomó control de la cocina. Cuando
John llegó para la cena, Pedro se
comportó lo mejor que pudo, que no fue
mucho. Por momentos olvidó las reglas
de urbanidad que indican que en
la mesa no se discute ni de religión

ni de política. Tuve que cambiar
bruscamente el tema para que en lugar
de tratar temas espinosos, habláramos
de nuestros planes de matrimonio. John
informó a él y a Rosaura que al día
siguiente saldría para el norte de
Estados Unidos, pues quería traer de
regreso a la única tía que le quedaba
viva, misma que quería que estuviera
presente durante la ceremonia. Cuando
el compromiso quedó formalizado John
me entregó un bello anillo de brillantes
y no pude evitar recordar que minutos
antes, cuando me estaba bañando en
el patio, Pedro me observó desnuda a
través de las hendiduras de los tablones
del baño. Su mirada era de fuego, y
brillaba mucho más que el resplandor
que despedía mi anillo de compromiso.
John y yo nos despedimos con un largo
beso. En la boca del estómago sentí
un vacío. Me preocupaba que se fuera
de viaje. Me preocupaba quedarme
sola. Me sentía en peligro. Comencé a

recoger todo con la ayuda de Chencha
y cuando fui a guardar trastes al
cuarto oscuro descubrí a Pedro, quien
me esperaba en la penumbra. Cerró
la puerta con cuidado y me tomó de
la cintura con todas sus fuerzas para
besarme. El día de hoy perdí mi
virginidad en brazos de Pedro y no
me arrepiento. Es todo lo que tengo
que decir.

Champandongo

Ingredientes:

1/4 de carne molida de res
1/4 de carne molida de puerco
200 g. de nueces
200 g. de almendras
1 cebolla
1 acitrón
2 jitomates
Azúcar
1/4 de crema
1/4 de queso manchego
1/4 de mole
Comino
Caldo de pollo
Tortillas de maíz
Aceite

La cebolla se pica finamente y se
pone a freír junto con la carne en
un poco de aceite. Mientras se fríe,
se le agrega el comino molido y una
cucharada de azúcar. Cuando la carne
se empieza a dorar, se le agregan el
jitomate picado junto con el acitrón,
las nueces y las almendras partidas
en trozos pequeños. Cuando la carne ya
está cocida y seca, lo que procede es
freír las tortillas en aceite, no mucho
para que no se endurezcan. Después, en
el traste que vamos a meter al horno,
se pone primero una capa de tortillas,
sobre ellas una capa de picadillo y
por último el mole, cubriéndolo con el
queso en rebanadas y la crema. Se
repite esta operación cuantas veces
sea necesario hasta rellenar el molde.
Se mete al horno y se saca cuando el
queso ya se derritió y las tortillas se
ablandaron. Se sirve acompañado de
arroz y frijoles.

130

Querido diario, ¿te acuerdas de que
dije que no me arrepentía de nada?
Bueno, pues es mentira. ¡La culpa me
está matando! No tengo cara para
presentarme ante Rosaura y aparentar
que entre Pedro y yo no sucede nada. Lo
peor es que ella desde que siente que ya
no nos disputamos el amor de su marido,
puesto que me voy a casar con John, a
cada rato se me aparece en la cocina y
se sienta en una silla a platicar conmigo.
Me hace todo tipo de confidencias y yo
no sé qué cara poner. Lo peor es cuando
hablamos de sus intimidades. Rosaura
dice que hace meses que Pedro no la toca.
Ella siente que la embarazó sólo para que
tuviera otro hijo pues le apenaba mucho
verla llorar desesperadamente por la
muerte de Roberto, pero no por obtener
un disfrute físico. Mi hermana le atribuye
el alejamiento de Pedro a su gordura
y me pidió que le preparara una dieta
que le ayudara a perder todos los kilos que
ganó durante su embarazo. Cuando me

dice esas cosas yo no sé en dónde ni para dónde voltear. Rosaura se moriría al saber que, a diferencia de ella, no puedo quitarme a Pedro de encima. Otro de los factores que ella piensa que interfieren en su relación es su repentina halitosis. Me rompe el corazón verla sufrir y más porque me considero de alguna manera responsable de sus penas. Me acuerdo que el día que John trajo a Alex de visita y al niño se le ocurrió comentar que a él le gustaría casarse con esa niñita cuando fuera grande, todos nos reímos, pero nos quedamos fríos cuando mi hermana le explicó que esa niña nunca se podría casar porque tenía que cuidarla hasta su muerte. Sus palabras casi me provocan un infarto y recuerdo que, cuando le estaba cocinando la cena, desee con toda el alma que esas palabras se le pudrie-ran en la boca. No lo sé. Tal vez sólo sea la enorme culpa que me atormenta la que me hace sentirme responsable del infortunio de mi hermana. Lo que sí es real es que escuchar a Rosaura es como escuchar hablar a mi mamá. Piensa igual a ella, tiene los mismos conceptos de la vida que ella, utiliza sus mismas palabras, se mueve como ella, a veces frunce la boca igualito que ella, es como si una a la otra se hicieran segunda. No sé cómo explicarlo, pero cuando escucho a Rosaura, al mismo tiempo estoy escuchando a mi mamá. Es curioso porque yo nunca he podido cantar a dueto con nadie, pues no sé seguir otra melodía. Mi mamá lo hacía muy bien y cuando yo le preguntaba cómo lograba hacerlo, me respondía: "Es muy fácil, la orquesta está tocando la segunda, ¿no la oyes?" Pues no, nunca la puedo escuchar más que ahora en boca de Rosaura. Para mi fortuna o infortunio (por el trabajo que representa atender a tanta gente), hoy llegó Gertrudis al rancho. Venía a partir la rosca de reyes y a tomarse una taza de chocolate bien batido. Llegó con toda su tropa y en

compañía de Juan Alejandrez, el capitán
que se la había llevado a lomo de caballo.
Durante la Revolución se perdieron de
vista, pero ahora se habían reencontrado
y casado. Me dio un gusto enorme verla
triunfante y feliz. Estoy segura de que
con su presencia todo se va a aligerar,
alegrar, relajar. Lástima que mamá ya
no está para verla.

Chocolate y rosca de Reyes

Ingredientes para el chocolate:
2 libras de cacao Soconusco
2 libras de cacao Maracaibo
2 libras de cacao Caracas
Azúcar entre 4 y 6 libras, según el gusto
Aceite

Manera de hacerse el chocolate:
La primera operación es tostar el cacao.
Para hacerlo, es conveniente utilizar una
charola de hojalata en vez del comal, pues
el aceite que se desprende de los granos se
pierde entre los poros del comal. Cuando
el cacao ya está tostado como se indicó, se
limpia utilizando un cedazo para separar
la cáscara del grano.
Debajo del metate donde se ha de moler,
se pone un cajete con buena lumbre y
cuando ya está caliente el metate, se
procede a moler el grano. Se mezcla
entonces con el azúcar, machacándolo con
un mazo y moliendo las dos cosas juntas.

En seguida se divide la masa en trozos. Con las manos se moldean las tablillas, redondas o alargadas, según al gusto, y se ponen a orear. Con la punta de un cuchillo se le pueden señalar las divisiones que se deseen.

Para la rosa de Reyes:

30 g de levadura fresca
1 kg y 1/4 de harina
8 huevos
1 cucharadita de sal
2 cucharadas de agua de azahar
1 1/2 tazas de leche
300 g de azúcar
300 g de mantequilla
250 g de frutas cubiertas
1 muñeco de porcelana

Manera de hacerse:

Con las manos, o utilizando un tenedor, se desbarata la levadura en 1/4 de kilo de harina, agregándole poco a poco ½ taza de leche tibia. Cuando están bien incorporados los ingredientes se amasan un poco y se dejan reposar en forma de bola, hasta que la masa crezca el doble de su tamaño. Con el kilo de harina se forma una fuente sobre la mesa. En el centro se ponen todos los ingredientes y se van amasando, empezando por los del centro y tomando poco a poco la harina de la fuente, hasta que se incorpora toda. Cuando la masa que contiene la levadura ha subido al doble de su tamaño, se mezcla con esta otra masa, integrándolas perfectamente, hasta el punto en que se desprendan de las manos con toda facilidad. Con una raspa se quita la masa que se va quedando pegada en la mesa, para integrarla también. Entonces se vacía la masa en un recipiente hondo, engrasado. Se tapa con una servilleta y se espera a que suba nuevamente al doble de su tamaño. Hay que tener en cuenta que la masa tarda

aproximadamente dos horas en duplicar
su tamaño y es necesario que lo haga tres
veces, antes de poder meterla al horno.
Cuando la masa ya dobló su tamaño por
segunda vez, se vacía sobre la mesa y se
hace una tira con ella. Si se desea se le
ponen en medio algunas frutas cubiertas
partidas en trozos. Si no, solamente el
muñeco de porcelana, al azar. Se enrolla
la tira metiendo una punta en la otra.
Se pone sobre una lámina engrasada y
enharinada con la unión hacia abajo.
Se le da la forma de rosca, dejando
bastante espacio entre la misma y la
orilla de la lámina, pues todavía va a do-
blar su tamaño una vez más. Mientras
tanto se enciende el horno para mantener
una temperatura agradable en la cocina,
hasta que termine de esponjar la masa.
Cuando la masa dobla su tamaño por
tercera vez, se decora con las frutas
cubiertas, se barniza con huevo batido y se
le pone el azúcar. Se mete al horno por
veinte minutos y después se deja enfriar.

Nunca he tenido problema con la comida.
A todo le encuentro el gusto. Casi nada
me produce asco. Todo lo contrario de mi
hermana Rosaura, a la que cualquier
alimento extraño le produce repulsión.
Sin embargo, desde hace unos días, a
todo lo que como le encuentro un sabor
desagradable, deteriorado, fétido, ácido.
¿Cómo es posible que alimentos que antes
me agradaban tanto ahora me produzcan
náusea? Estoy desesperada. Ya no sé si
se trata de lo que estoy ingiriendo o es
que yo misma me doy asco. ¿Me pregunto
qué clase de persona renunciaría a
casarse con John Brown? ¿Qué clase
de persona lo traicionaría? John es
lo más cercano a la perfección que he
conocido. Me gusta estar a su lado. Me
gusta que me abrace, que me bese. Sin
embargo, ninguno de sus abrazos me ha
hecho sentir lo que siento con Pedro.
Claro que eso no justifica lo que estoy
haciendo y no tengo a nadie a quién
echarle la culpa. Yo solita me mando y

me desmando. Era más fácil cuando sólo
tenía que obedecer. Bueno, al menos no
cometía tanta insensatez y por lo mismo
no cargaba con tantos remordimientos.
Ahora, desde que abro los ojos hasta que
los cierro, desfilan por mi mente imágenes
catastróficas. Me despierto con náuseas,
me duelen los pechos, signos preocupantes
de un embarazo que nos complicaría la
vida a Rosaura, a Esperanza, a Pedro
y a mí. Me pregunto si a mi mamá la
habrán atormentado la misma clase de
pensamientos que a mí y si también habrá
sufrido los mismos molestos síntomas de
los mareos con cada una de nosotras. Lo
que es innegable es que el embarazo de
Gertrudis debe haber sido el más difícil de
los tres. Claro que ella estaba en una mejor
situación que la mía. Estaba casada y
aunque la hija que esperaba era producto
de una infidelidad, sólo ella lo sabía. En
mi caso, la situación es diferente pues ni
siquiera estoy casada. ¿Cómo justificar mi
embarazo? ¿Cómo seguir adelante con los

planes de matrimonio que había hecho?

El día de hoy, mientras estaba cocinando
unas torrejas de natas para mi hermana
Gertrudis, tuve que hacer un esfuerzo
supremo para controlar mi náusea
mientras batía los huevos. Gertrudis lo
notó. Me solté llorando y le confié mis
problemas. Fue un alivio. Gertrudis
me escuchó, me aconsejó, me reconfortó.
Ella todo lo mira desde otro punto de
vista. Desde su perspectiva la intrusa
es Rosaura. Ella es la que se interpuso
entre Pedro y yo a sabiendas de que nos
queríamos profundamente. Cómo quisiera
ver la vida con el mismo desenfado que
ella, y lo que daría por tener su mismo
don de mando. Gertrudis hace lo que
quiere y a la hora que quiere, sin pedir
permiso a nadie y sin arrepentirse de
nada. Los hombres obedecen sus órdenes
sin chistar. No hay problema que no
pueda solucionar y siempre se sale con la
suya. Como hoy yo no estaba en condiciones
de prepararle sus torrejas y ella moría

por comerlas, prácticamente me obligó a dejar el cazo sobre la lumbre para que saliera a hablar con Pedro respecto a la posibilidad de mi embarazo. Así lo hice, con la plena conciencia de que la dejaba abandonada a su suerte en un espacio que ella no controlaba: la cocina. Para mi sorpresa, Gertrudis aunque no tenía la menor idea de cómo cocinar, se las ingenió para que el sargento Treviño, uno de sus incondicionales, ¡le preparara las torrejas siguiendo mi receta! Bueno, no sé por qué me extraña. Si fue capaz de convertirse en generala y comandar una tropa, no veo por qué no iba a poder con unas torrejas de natas, por muy complicadas que parecieran.

Torrejas de Natas

Ingredientes:

Una taza de natas
6 huevos
Canela
Almíbar

Manera de hacerse:

Se toman los huevos, se parten y se
les separan las claras. Las 6 yemas se
revuelven con la taza de natas. Se baten
estos ingredientes hasta que se torne ralo
el batido. Entonces se vierte sobre una
cazuela previamente untada con manteca.
Esta mezcla, dentro de la tartera, no
debe sobrepasar un dedo de altura. Se
pone sobre la hornilla, a fuego muy bajo,
y se deja cuajar. Ya que están frías las
natas, se cortan en pequeños cuadros, de
un tamaño que no los haga quebradizos.
Por su parte, se baten las claras para
rebozar en ellas los cuadros de nata y
después freírlos en aceite. Por último,

se echan en almíbar y se polvorean con
canela molida.

Para el almíbar:
Se bate una clara de huevo en medio
cuartillo de agua para cada 900 g de
azúcar o piloncillo, dos claras de huevo
en un cuartillo de agua para 2 kg de
azúcar y en la misma proporción para
mayor o menor cantidad. Se hace hervir
el almíbar hasta que suba tres veces,
calmando el hervor con un poco de agua
fría, que se echará cada vez que suba.
Se aparta entonces del fuego, se deja
reposar y se espuma; se le agrega después
otra poca de agua junto con un trozo
de cáscara de naranja, anís y clavo al
gusto y se deja hervir. Se espuma otra
vez y cuando ha alcanzado el grado de
cocimiento llamado de bola, se cuela en
un tamiz o en un lienzo tupido sobre un
bastidor. Para conocer si el almíbar
está en este punto, se remojan los dedos
en un cubilete o jarro de agua fría y se

coge el almíbar, volviéndolos a meter con prontitud en el agua. Si al enfriarse el almíbar se hace bola y se maneja como pasta, está cocido al grado o punto de bola. Si se quiere más puro el almíbar, como se necesita para endulzar los licores, después de las operaciones referidas se cantea el cazo o vasija que lo contiene, se deja reposar y se descanta, o lo que es lo mismo, se separa de los asientos con el menor movimiento posible.

Querido diario, ayer fue un día muy agitado. Trataré de resumirte lo que sucedió. Por la tarde me encerré en mi recámara pues no quería ver a nadie. Tenía que meditar sobre mi conversación con Pedro. Él estaba dispuesto a abandonar a Rosaura y Esperanza pero yo no. Tenía que haber otra solución para nuestro problema que no fuera ésa, pero por más esfuerzos que hacía, no la encontraba. Fuera de toda lógica, la persona que más quería tener a mi lado en este momento es la que menos deseaba ver. Estar cerca de John era lo mejor y lo peor que me podría pasar. A su lado recuperaría mi paz en un segundo, pero antes tendría que verlo a los ojos, a sus azules ojos y decirle que Pedro me había embarazado. Sin poder evitarlo me vino a la mente mi mamá. ¿Cuántas noches en vela habrá pasado dándole vueltas en su cabeza al mismo problema que ahora me aqueja? Pensar en ella me hacía sentir peor así que me puse a tejer para distraer mi

mente. En otras ocasiones el tejido me
había funcionado a la perfección pero
anoche resultó totalmente inútil pues, como
era la última noche de Gertrudis en el
rancho, le habían organizado una fiesta
de despedida que incluía música y baile.
El ruido era infernal. Las carcajadas
y los cantos no eran lo más indicados
que digamos para alcanzar la anhelada
paz espiritual que tanto necesitaba. De
pronto escuché a Pedro y a Juan cantar
bajo mi balcón. Estaban borrachos. Casi
al mismo tiempo escuché dentro de mi
cabeza la voz de mi mamá que me decía:
"¿Ves lo que estás ocasionando? ¡Pedro
trayéndote serenata!, ¡por dios! ¡Toma
tus cosas y vete de la casa antes de que
sea demasiado tarde!" En vida, nunca
fui capaz de discutir con mi mamá.
La única vez que lo intenté salí con la
nariz rota. Pero ahora que ella estaba
muerta pude hacerlo. De inmediato le
respondí y le pedí que se fuera, que
dejara de atormentarme, que ya no la

quería oír. Ella arremetió acusándome de
indecencia. Yo le respondí que sólo seguía
su ejemplo, pues tuvo una hija fuera del
matrimonio. Nuestro diálogo mental fue
subiendo de tono y se cargó de amenazas
de condenación eterna hasta que exploté
y le dije que se fuera de una vez por
todas, que no la quería escuchar más y
que la odiaba. Estas palabras salieron de
mi boca como un vómito poderoso y sentí
un gran alivio. Mi cuerpo y mi mente se
relajaron tanto que al instante sentí cómo
de manera lenta comenzaba a deslizarse
mi menstruación por el interior de mi
vientre. Te juro que lloré de gusto. ¡No
estaba embarazada! Quise unirme a la
fiesta para celebrar pero justo cuando iba
a bajar escuché unos gritos en el patio
y por la ventana vi a Pedro encendido
en llamas y a Gertrudis arrancándose
la falda para sofocar con ella el fuego.
Más tarde me dijeron que el accidente
se originó cuando un quinqué de petróleo
de los que pusieron a alumbrar el patio

inexplicablemente explotó y dejó caer sobre Pedro una lluvia de fuego. No sé ni cómo bajé las escaleras, pero en segundos ya estaba a su lado. Llegué al mismo tiempo que Rosaura. Pedro me tomó de la mano, yo intenté soltarme y hacerme a un lado para dejar que Rosaura ocupara su lugar frente a su marido, pero Pedro me agarró con fuerza y a gritos me pidió que no lo dejara. Rosaura dio media vuelta y apuró el paso. Pienso que la perdí para siempre. No creo que sea capaz de perdonar un desaire público de esa naturaleza.

Querido diario, estoy más confundida que
nunca, lo cual es alarmante porque te
consta que en otras ocasiones he estado
tan apesadumbrada que ni siquiera he
podido hablar, ya no se diga escribir,
pero ahora la ofuscación es total. Lo que
pasa es que John regresó al día siguiente
del accidente de Pedro y, como siempre,
su presencia nos cayó como una bendición.
A pesar del cansancio que le ocasionó un
viaje tan largo, John de inmediato se
hizo cargo de las quemaduras de Pedro
con unos emplastos de tepezcohuite que
su abuela le enseñó a preparar y la
recuperación de las heridas de Pedro ha
sido impresionante. Desde que John llegó
de Pennsylvania nos hemos visto a diario
aunque nunca a solas, por lo que no hemos
podido hablar. Trajo con él a su tía
Mary, quien prudentemente se esperó una
semana antes de venir a conocerme.
Ella no quería que su visita interfiriera
con la atención que Pedro requería y ¡qué
bueno! porque toda la semana Rosaura

se mantuvo encerrada en su recámara y hubiera resultado un poco extraño tratar de explicarle lo que estaba pasando en casa. Hoy Rosaura salió de su encierro y se presentó ante mí sólo para dejar claro que no piensa divorciarse pero tampoco quiere continuar manteniendo ningún tipo de relación con Pedro. Me dijo que me deja el camino libre para hacer con él lo que me plazca. Sólo nos pide discreción, pues no quiere quedar en ridículo ante la sociedad. Lo que más me dolió de todo su reclamo fue que me prohibió terminantemente hacerme cargo de Esperanza, pues no quiere que yo sea un mal ejemplo para la niña. No quiere que la bañe, que le prepare sus papillas, que le cambie los pañales, en fin, quiere que me mantenga lo más lejos posible de Esperanza. John creo que ya se dio cuenta de que algo grave sucedió en su ausencia, pero no ha dicho nada. Por supuesto que ha notado que Rosaura no se ha hecho presente durante sus visitas

médicas ni pregunta por su esposo y de
la tensión que se respira cuando estamos
Pedro y yo cerca de él, pero su boca no
se ha abierto para otra cosa que no sea
hablar de cosas agradables. Yo trato de
aparentar normalidad pero desde que
nos dimos el primer abrazo el día de
su llegada debe haber sentido que algo
me pasaba. En cuanto lo vi, corrí a
abrazarlo y me acurruqué en sus brazos
un largo rato. No me quería mover para
nada. Estaba segura de que después
de mi confesión, no sólo iba a cambiar
nuestra relación, sino nuestra manera
de abrazarnos, de mirarnos a los ojos
limpiamente, de compartir el silencio, de
contemplar el cielo. Nunca imaginé lo
amplia que era la sensibilidad de John
y lo grande que era su comprensión de
los seres humanos. Me di cuenta de mi
error durante la cena que preparé en
honor a la tía Mary. A pesar de que
tuve infinidad de contratiempos durante
la preparación de la misma, en cuanto

nos sentamos a la mesa, todo transcurrió con normalidad. Antes de comenzar, disculpé a Pedro y a Rosaura por no estar presentes. La tía disfrutó mucho los frijoles a la Tezcucana que le preparé y me los chuleó bastante. El único obstáculo que tuvimos, pero que lo superamos bastante bien, fue que la conversación con la tía Mary resulta un poco complicada pues no oye nada, sólo lee los labios y en idioma inglés. John aprovechó esta circunstancia para, en determinado momento en que la tía estaba distraída comiendo, hablarme en español. Me preguntó qué me pasaba. Se preocupaba que nuestra boda se realizaría en una semana y sentía que le ocultaba algo. Traté de desviar la conversación pero John insistió y fue ahí cuando le dije que no me podía casar con él porque durante su ausencia había perdido mi virginidad. Al hacerlo se me escaparon unas lágrimas y la tía Mary me dijo que era muy bello ver llorar de emoción a una mujer pronta

a casarse. John, tratando de evitar que
me desbordara en llanto, me tomó de la
mano y me dijo que a él no le importaba
lo que había pasado. Que él quería seguir
siendo el compañero de toda mi vida. Lo
único que me pedía era que pensara si
ese hombre era él o no. Si respondía
afirmativamente nos casaríamos en una
semana y si no, él sería el primero en
felicitar a Pedro y pedirle que me diera
el lugar que me merecía. ¡Cómo creció
la imagen de John ante mis ojos! y ¡qué
grandes son mis dudas respecto a lo que
voy a hacer!

Frijoles gordos con chile a la Tezcucana

Ingredientes:

Frijoles gordos

Carne de puerco

Chicharrón

Chile ancho

Cebolla

Queso rallado

Lechuga

Aguacate

Rábanos

Chiles tornachiles

Aceitunas

Manera de hacerse:

A los frijoles primero se les tiene que dar un cocimiento con tequesquite y después de lavados se ponen nuevamente a cocer junto con pedacitos de carne de puerco y chicharrón. Después de desvenados los chiles, se ponen a remojar en agua caliente y por último se muelen. La cebolla se pica y se pone a freír en manteca. Al dorarse se le agrega ahí mismo el chile ancho molido y sal al gusto. Ya que se sazonó el caldillo, se le incorporan los frijoles junto con la carne y el chicharrón. Al momento de servirlos se les pone el queso rallado y se adornan con hojas tiernas de lechuga, rebanadas de aguacate, rabanitos picados, chiles tornachiles y aceitunas.

Hoy fue el bautizo de Esperanza. Yo pensé que Rosaura lo iba a cancelar, pero resultó que no. Lo único que hizo fue ordenar que por el momento se suspendieran todos los preparativos para la fiesta. Chencha me preguntó si eso era cierto. Yo le dije que si mi hermana lo estaba pidiendo, era porque así lo quería y había que darle gusto. Chencha quiso averiguar mucho más, pero yo no quise satisfacer su sed de conocimiento. Es más, desde que ella regresó he cambiado varias veces el lugar en donde te guardo, mi querido diario, porque en tu interior hay mucha información que no deseo compartir con nadie, mucho menos con Chencha, porque ella es muy capaz de tomar bando entre Rosaura y yo, y bueno, soltar la lengua más de lo prudente. Me sorprendió la decisión de Rosaura, pero entendí perfectamente que ella no estaba para celebraciones, mucho menos tratándose de un bautizo donde se suponía que yo tendría que participar como madrina. ¿Cómo permitir que yo bautizara a Esperanza después de que me había pedido que me mantuviera alejada de la niña? ¿Y cómo explicarle a John lo que pasaba? Rosaura estaba tan agradecida con John por haberle salvado la vida cuando dio a luz a Esperanza que le pidió que fuera el padrino de su hija y, tomando en cuenta que pronto seríamos marido y mujer, me pidió que yo fuera la madrina. Claro que eso fue antes de que John se fuera por su tía Mary y que Pedro y yo tuviéramos nuestros encuentros amorosos. ¡Con qué velocidad cambiaron las cosas! Ahora Rosaura me trata como la oveja negra. Yo la entiendo, en su lugar, tal vez yo reaccionaría de la misma manera. Y si Esperanza fuera mi hija, tampoco querría que Rosaura se le acercara ni permitiría que pasara tiempo a su lado escuchando ideas con las que no estoy de acuerdo. En fin, el caso es que para mi sorpresa, Rosaura organizó todo el bau-

tizo a escondidas. La fiesta tuvo lugar
en el Rancho de los Múzquiz. Rosaura no
quiso que yo cocinara nada y me pidió
que sólo fuera como invitada. A mí me
pareció bien, así no tuve que trabajar.
¿Recuerdas que incluso me había retirado
el habla? Bueno pues me la regresó
cuando vio que John y yo efectivamente
nos íbamos a casar y nos iríamos a vivir
fuera del rancho. Poco a poco comenzó
a soltarme frases, de tal manera que
durante el bautizo nadie pudo percatarse
de que entre nosotras había un desacuer-
do. El único que me vio con malos ojos
fue el padre Ignacio. Me imagino que
Rosaura le ha de haber comentado algo,
o será porque yo no me quise confesar
con él y me fui a otra iglesia. ¡Ve tú a
saber! Lo que fue claro es que hizo mucho
énfasis en la parte de la liturgia en la
que se pregunta a los padres y padrinos
si renuncian al demonio. Al hacer la
pregunta dirigió su mirada directamente
a mí y me lanzó unos ojotes de espanto

que me hicieron sentir pecadora, culpable.
Para colmo, el coro de la iglesia cantó el
Ave María y por poco me suelto a llorar.
Oír esa música siempre me había dado
una sensación de pureza. Me encantaba
escucharla cuando siendo muy niña me
llevaban a ofrecerle flores a la Virgen.
En esos momentos hasta llegué a pensar
que me gustaría ser monja, pero de esa
Tita pura e inocente ya no queda nada.
Es sólo una imagen que guardo en mi
memoria. Al finalizar la ceremonia
Pedro y Rosaura encomendaron a su
hija con Nuestra Señora del Refugio,
Virgen de los Pecadores. Yo evité a
toda costa que mis ojos se encontraran
con los de Pedro, pues allí frente a esa
misma Virgen y en esa misma iglesia nos
habíamos jurado amor eterno. No quería
sentir su mirada. Sus ojos eran mi
perdición eterna, preferí
buscar con la mirada a
John. Sus azules ojos son
mi redención.

Llevo dos noches sin dormir. Mi insomnio obedece por un lado a que ante lo inminente de mi boda, se han intensificado las caminatas nocturnas que Pedro realiza dentro de su recámara y por el otro, a que aún no termino mi vestido de novia. Pero quizá lo que más me quita el sueño es el futuro de Esperanza. Durante el bautizo de la niña escuché a mi hermana comentar con Paquita Lobo que nunca iba a dejar que Esperanza se casara. Me preocupa mucho que siga con esa idea metida en la cabeza y no estar presente para impedirlo. Le comenté a John que sentía la obligación de hacer algo al respecto, pero él me aconsejó no inmiscuirme; opina que no es el momento. Muchas cosas pueden pasar en los años que faltan para que Esperanza esté en edad de casarse. Me recordó que somos sus padrinos y que en su debido momento le podremos brindar nuestra ayuda. Claro que siempre y cuando nos la pida. Me

invito a considerar que aunque me voy a
ir del rancho puedo seguir al pendiente
de Esperanza. No nos vamos al fin del
mundo, sólo al otro lado del puente. Tiene
razón, en unos días más me voy a casar y
tendré mis propios hijos. Yo me encargaré
de no heredarles esa absurda tradición.
Ya me salvé de un destino injusto,
pero una voz en mi cabeza no deja de
preguntar: ¿Se vale salvarse solo?, ¿qué
nos lleva a pensar que lo que le pase a
otro ser humano no nos corresponde? Mi
hermana Gertrudis, por ejemplo, está
dispuesta a dar la vida por los demás.
Yo también podría hacer lo mismo, con la
diferencia de que mi revolución consistiría
en dar mi vida, mi vida en pareja, con
tal de que una horrenda tradición se
siga llevando a cabo. Ante lo cual tengo
que decidir entre casarme con John, ser
feliz y olvidarme de andar salvando
a miembros de mi familia, o quedarme
soltera para impedir que mi hermana le
arruine la vida a Esperanza. Si me voy,

la tradición de que la hija menor no se case para cuidar a su madre morirá en mí, pero no podré impedir que continúe en la familia de Rosaura y me pregunto a cuántas generaciones más va a afectar. No basta con que yo me niegue a perpetuarla. Para que desaparezca del todo es preciso que nadie la repita.

Creo que hoy tomé la peor decisión de mi vida. El tiempo lo dirá. Me levanté muy temprano y me metí a bañar para que diera tiempo de que Chencha me hiciera un bello peinado de trenzas que sólo ella sabe hacer. Cuando estaba enjuagando mi cabello con agua de azahar, Pedro abrió la puerta del baño y se metió a la fuerza. Yo lo empujé y le pedí que saliera de inmediato. Pedro, con lágrimas en los ojos, me suplicó que no me casara. Ya había hecho eso mismo unas semanas antes, cuando de manera encarecida me pidió que no cometiera el mismo error que él. En esa ocasión le dije que yo estaba en mi derecho de casarme con quien yo quisiera y creí que lo había entendido, pero obviamente no. Así que traté de ser más enérgica. Lo acusé duramente de ser un egoísta que sólo pensaba en su conveniencia. ¿Qué era lo que me ofrecía? Momentos fugaces, encuentros secretos, amor a escondidas. John, por el contrario, me ofrecía un amor limpio,

sólido, libre. No quiso oírme más. Me tomó
de la cintura y me besó apasionadamente.
Como pude, escapé de sus brazos. Corrí a
la casa, me vestí y me salí a caminar.
Ese era el mejor remedio que conocía
para calmarme. En unas horas iba a
casarme con John y quería estar muy
clara. Caminé y caminé y cuando me
di cuenta ya había cruzado el puente
de Piedras negras y me encontraba
en Eagle Pass, justo frente a la casa
de John Brown, quien se sorprendió
enormemente al verme desde su ventana.
Bajó corriendo y me abrazó. No tuve que
hablar mucho, sólo le dije que no podía
casarme con él pues no estaba totalmente
segura de mis sentimientos. Después de
un doloroso silencio, John carraspeó para
aclarar la garganta y me pidió que
le diera unos minutos para quitarse el
traje de novio y llevarme de regreso al
rancho. Yo lo esperé sentada en un sillón
de la sala. Alex me vio y me preguntó
por qué no estaba vestida de novia. Me

solté llorando. Por fortuna John llegó, le
acarició la cabeza y le dijo que no habría
boda y que luego le explicaría. Nunca
voy a olvidar la cara de desconcierto
que puso el niño. Durante el camino de
regreso nos detuvimos unos minutos para
ponernos de acuerdo en la forma en que
deberíamos de cancelar todo. Al llegar
al Rancho subí a arreglarme. Chencha
estaba desesperada pues no sabía nada
de mí. Llevaba una hora de espera. La
abracé y le expliqué lo mejor que pude
que no habría boda. Rosaura escuchó
el llanto de Chencha y entró para ver
lo que pasaba. Casi se infarta con la
noticia. Salió dando un portazo. Yo
terminé mi arreglo asistida por Chencha
y bajé para reunirme con John. Juntos
y tomados de la mano recibimos a los
invitados, les compartimos nuestra decisión
de suspender indefinidamente la boda y
les fuimos regresando a cada uno de ellos
su regalo. No sé de dónde saqué fuerzas
para enfrentar la situación. Me imagino

que de John. Se mantuvo a mi lado como
un roble. Sólo hubo un momento en que
se alejó para hablar con Pedro. Fue
una conversación breve que sellaron con
un apretón de manos; enseguida John
regresó conmigo y ahí permaneció hasta
que despedimos al último de los invitados.
Ninguno se quiso quedar al banquete que
habíamos preparado, así que le pedimos
al padre Ignacio que se lo llevara y lo
repartiera entre sus fieles para que no
se echara a perder. Luego John y yo nos
dimos un largo abrazo de despedida, los
dos lloramos mucho. Di la media vuelta y
me metí a la casa para no verlo partir.
Sé que nunca habrá otro igual a John.

La casa amaneció muy silenciosa. Sólo
se escuchan los sonidos que producen los
trastes que Chencha está lavando en
el fregadero. Pasé la noche en blanco.
Tengo una extraña sensación de estar
donde no debo. De ver lo que no quiero.
De escuchar lo que no me corresponde.
Desde mi ventana veo las sillas vacías
y las mesas desnudas que esperan ser
recogidas. Veo las decenas de jarrones
apilados en un rincón, repletos de flores
que se marchitan poco a poco. Observo un
amanecer que debería haber contemplado
al lado de John. Se trata de un sol
tímido, triste, que se avergüenza de
alumbrar mi tristeza. Acabo de terminar
de guardar mi vestido de novia dentro
de su caja. Con ello recupero el título
de "Señorita Tita" y me uno a las miles
de mujeres solas por fatalidad, por
impotencia, por indecisión. No pienso salir
de mi recámara. No quiero encontrarme
con nadie. No tengo cara para hacerlo.
No me he atrevido a desempacar mi ropa.

Esos vestidos tampoco deberían de estar
aquí, sino en casa de John. Deberían
de colgar de ganchos dentro del enorme
ropero que estaba destinado a ser mío.
John lo mandó a hacer especialmente
para mí, lo mismo que la caja de cerillos
de plata que me dio en la mano antes
de partir. Era su regalo de boda y
no se lo quiso quedar. John le mandó
grabar por dentro nuestros nombres. Los
cerillos los elaboró personalmente y cada
uno tiene pirograbada una letra que
forma parte de un poema que yo misma
tengo que descubrir. Es como un pequeño
rompecabezas. Siento que nunca podré
armarlo. Si ni siquiera puedo encontrar
el lugar que me corresponde, ¿cómo voy a
poder encontrarle sentido a un poema?
¿Cómo poner las letras en el lugar
adecuado? En mi mente todo es indecisión.
Siento miedo de perderme nuevamente,
de enfermarme y ya no tener a la mano
a John, a mi querido Dr. Brown para
que me salve. Hoy por la mañana me llegó

una carta de despedida de su parte y su lectura me provocó un enorme sentimiento de tristeza, de soledad. Con John me sucede algo curioso. Así como tengo una conexión física tan profunda con Pedro en la que a veces no puedo distinguir entre su mano y la mía, con John sucede que no puedo diferenciar cuál pensamiento o sentimiento le pertenecen a él y cuáles a mí. Al leer su carta de inmediato sentí su dolor, su profundo dolor y mis ojos observaron un paisaje desconocido que era el que de seguro en ese momento John debería estar observando. No lo vi claramente porque las lágrimas de mis ojos distorsionaban el paisaje. ¿O serían las lágrimas de John?

Querida Tita,

No he podido dormir preguntándome quién soy yo en tu vida. Creo que soy un sueño que desaparece como por arte de magia cuando entra en contacto con una realidad que Pedro y tú han ido construyendo día con día. Tita, mi querida Tita, necesito alejarme un tiempo para recomponerme, para tratar de reencontrarme en otra ciudad, en otra vereda, en otro espacio. Aquí no puedo.

Me atrae demasiado la idea de ser el hombre que te ama y tengo que aceptar que no soy el único que lo hace. Así que quizá me pierda de tu vista por un rato pues me siento fuera de lugar. Siento que no existo. Que tú me inventas cuando me nombras, cuando me llamas, cuando piensas en mí. Y que desaparezco cuando veo la ternura tan bellamente triste que se refleja en tus ojos cuando miras a Pedro. Por el momento no la quiero ver y no por envidia, sino porque se trata de una obra maestra.

Necesito recordar quién es John Brown sin Tita a su lado.

Necesito alcanzar un estado de paz, de luz, que sea tan grande que a pesar de la distancia pueda llegar a tu lado y cubrirte en completo silencio. I'll see you when I get there.

Tu eterno John.

Esta semana ha sido muy complicada.
Han sido siete días de despedidas,
discusiones, chismes, cambios, llantos,
mucho llanto. Creo que desde el día de
mi nacimiento no había llorado tanto.
Dicen que prácticamente yo nací entre
un río de lágrimas. Bueno, pienso que
eso fue una exageración de Nacha pero
definitivamente creo que, si eso fue cierto,
ya lo superé en volumen. La que me hizo
segunda fue Esperanza. Pobre niña, no
ha parado de llorar en toda la semana.
Me dijo Chencha que se negaba a comer
y a estar en la recámara de Rosaura.
Sólo quiere estar en la cocina pues desde
recién nacida se acostumbró al calor y
al olor que despiden las ollas, pero como
yo no bajé a cocinar por varios días, la
mantuvieron al lado de su mamá. Yo ya
no podía escuchar su llanto por más tiempo,
así que me decidí a romper mi encierro
y a bajar a preparar la comida. Me
llevé a Esperanza conmigo y Rosaura ni
chistó. Noté que ella también tenía los ojos

hinchados de tanto llorar. Tal vez por la
partida de Pedro. Los escuché discutir
varias noches atrás y hoy por la mañana
Pedro deslizó una carta de despedida
dirigida a mí. Su lectura me dio cierto
alivio, me sentí con libertad de salir de
mi cuarto sin temor a cruzarme con él.
Preparé un sencillo caldo de frijol como
el que Nacha me daba. Le puse trocitos
de tortillas para que se remojaran y
un poco de arroz. Esperanza se devoró
el caldo, suspendió el llanto y se quedó
dormida. Fue un alivio para todos.
Aprovechando el momento tomé a la niña
entre mis brazos y me metí con ella en el
cuarto que en vida le había pertenecido a
Nacha. Aún olía a ella. Nos acurrucamos
en la que fue su cama y nos quedamos
dormidas toda la tarde gozando de un
sueño reparador. Creo que Rosaura hizo
lo propio pues no escuché ningún ruido
aparte del que hacen las palomas, mis
más fieles compañeras, las que nunca me
abandonan.

Tita,

Te suplico me perdones. Sé que mi comportamiento
ha sido inexcusable y que sólo se explica
como producto de mi profundo egoísmo y mis
irracionales celos, los cuales, como bien sabes,
son muy malos consejeros. Hasta ahora me doy
cuenta de la manera en que estos sentimientos
obnubilaron mi mente y me obligaron a actuar
de una manera contraria a toda decencia o
decoro. Fue hasta que John habló conmigo que
me di cuenta de lo que estaba haciendo y me
sentí muy avergonzado. Nunca fue mi intención
lastimarte. Tampoco a Rosaura y, sin embargo, lo
he hecho pues estaba ciego de amor y deseo. Y sí,
sólo pensaba en besarte, en tocarte, en abrazarte.
Nunca medí las consecuencias. Lo peor de todo
es que actué en contra de lo que siempre quise. Tú
conoces cuáles fueron los motivos que me llevaron
a casarme con Rosaura. Tu reclamo del otro día
me dolió porque sí, efectivamente, hubiera sido
mejor que en lugar de unirme a tu hermana
hubiera tenido el coraje de robarte, pero no quise
hacerlo, precisamente porque no te quería colocar
en una posición deshonrosa. Mucho menos que
anduvieras en medio de las habladurías. No

deseaba que pasaras ante los ojos de los demás como una mujer fácil que antes del matrimonio se había ido de su casa. ¡Ve todo lo que dicen de Gertrudis! Bueno, pues fue hasta que John me abrió los ojos que tomé conciencia de que yo mismo te estaba devaluando ante los ojos de los demás al colocarte en la posición de la otra, ¡a ti, que eres lo que más quiero en el mundo! De ninguna manera te mereces esto. Te escribo esta carta porque no tengo cara para verte a los ojos. Si pudiera retroceder en el tiempo trataría de actuar de manera diferente. Le prometí a John que te daría tu lugar a toda costa. He hablado con Rosaura y se niega terminantemente a darme el divorcio. Así que no me queda otra que irme del rancho. Tenerte cerca es un verdadero tormento. Tengo que poner tierra de por medio para protegerte de mí mismo. Si tú fuiste capaz de renunciar a John, quien es un gran hombre, yo voy a renunciar a ti, aunque muera en el intento. Ésa será mi mayor prueba de amor. Nunca más te volveré a tocar ni a besar. No me es necesario para amarte.

Siempre tuyo,
Pedro Múzquiz

Parece que no hay forma de que pueda
llevar una vida tranquila y ordenada.
Apenas estábamos organizándonos y
poniéndonos de acuerdo Rosaura y yo
para convivir de la mejor manera,
cuando toda la casa se puso patas
p'arriba. Perdón, déjame ponerte al
corriente, creo que ni siquiera había
tenido tiempo de contarte que me mudé
al que había sido el cuarto oscuro donde
bañaba a mamá y que luego fue el cuarto
de los cachivaches, en donde por cierto
yo perdí mi virginidad, para dejar a
Rosaura dueña de la casa. Me llevó
un tiempo limpiar, pintar, reparar y
finalmente decorar el lugar. Me encanta
porque es un espacio pequeño que me
pertenece por completo. Donde soy la
patrona. Donde hago lo que me viene
en gana. Donde pongo las flores que
más me gustan, donde puedo tejer a mis
anchas, donde leo los libros de química
que John me regaló y trato de ponerlos
en práctica ahí mismo, en un rinconcito

que se ha convertido en mi pequeño
laboratorio de experimentación. Me gusta
la comodidad que el sitio me proporciona.
Abro mi puerta y salgo directamente
a mi huerto. Lo cruzo y ya estoy en la
cocina. El único momento en que pierdo
el control de mi espacio es cuando entra
Esperanza. Es un torbellino gateador que
todo lo quiere agarrar para metérselo a
la boca. Tengo que tener mucho cuidado
con ella y no descuidarla ni un sólo
minuto. A veces prefiero sacarla a los
corrales a ver a los animales para que
se distraiga un poco, pero no siempre
lo logro pues ella encuentra mucho más
divertido revolver mis cajones y jugar con
mis botones y mis estambres. Mi cuarto es
su espacio de libertad. Yo la dejo hacer
lo que quiera, a diferencia de Rosaura
que no le permite tocar nada y a la
menor oportunidad le suelta un manazo.
Rosaura, por su parte, se ha puesto a dar
clases de piano. Debo reconocer que es
muy buena maestra. Me gusta escucharla

tocar. Siempre lo ha hecho muy bien. A
veces pienso que no hay mal que por bien
no venga. La salida de Pedro de la
casa le ha permitido dedicarse a algo
que le gusta mucho y que no lo hacía
porque le destinaba todo su tiempo a su
labor como ama de casa. Pedro procura
venir cada quince días a visitar a la
familia y a traer dinero. Yo me dedico
a administrar el racho y a cocinar y
Rosaura a dar sus clases de piano, que
aparte de placer le proporcionan un
dinero extra. Hemos ido restableciendo
lo que se podría llamar una vida en
familia. Para evitar tentaciones; cuando
Pedro llega yo me guardo dentro de
mis habitaciones y cuando se va salgo
de ellas. No sé ellos qué harán. Bueno,
pues ya estoy como Chencha, comencé a
escribir y me seguí de corridito. Lo que
te quería comentar es que ahora que
apenas estábamos gozando de cierta paz
y tranquilidad en nuestras vidas, llegó
Gertrudis con su hijo recién nacido. La

semana pasada dio a luz a un niño negro
y se armó un escándalo. Juan enfureció
porque creyó que mi hermana había vuelto
a las andadas y le dijo cosas ofensivas.
¡Para las pulgas de Gertrudis! De
inmediato tomó a su niño en brazos y
lo abandonó. Afortunadamente yo había
guardado toda la correspondencia entre
Mamá y José Treviño y pude aclarar
las cosas. Me dio pena ventilar el pasado
de mi mamá, pero me dio mucho gusto
haber salvado el honor de mi hermana.
No porque a ella le preocupara tanto
conservarlo, sino porque estaba en juego
su matrimonio. Gertrudis me lo agradeció
mucho, pero de cualquier manera no
quiere volver con Juan. Está muy enojada
con él. A Rosaura le afectó la noticia
a tal grado que se enfermó. Suspendió
momentáneamente sus clases de piano como
medida precautoria, pues los chismes en
el pueblo detonaron como pólvora y temió
que las mamás de sus alumnos dejaran de
llevarlos a sus clases.

Esperanza caminando

Gracias a Dios, el día de hoy Esperanza aprendió a caminar. Lo digo porque mi espalda estaba a punto de quebrarse. Tenía días en que sólo deseaba ir de un lado al otro. Yo me inclinaba y la tomaba de sus dos manitas para que no se fuera a caer. Por último recurrimos a amarrarle una corbata de Pedro alrededor del pecho, como si fuera una correa y con su ayuda pudimos sostener a Esperanza desde lo alto con la espalda levantada. Cuando dio sus primeros pasitos la tomé entre mis brazos y corrí a la casa para que Rosaura lo atestiguara. ¡Cómo lo disfrutó! Las dos le festejamos a Esperanza su esfuerzo y la niña estaba tan feliz que ella misma se aplaudía, pero al hacerlo perdía el equilibrio y caía al suelo. Esperanza definitivamente nos ha unido. Cuando ella ríe, todo se olvida. Ya no somos las hermanas que se disputaron el amor de un hombre, sino las que comparten el amor de una niña que por igual nos llena de felicidad. Se puede decir que somos compañeras de crianza. A la que no le dio mucho gusto el revuelo que armamos fue a Gertrudis, la pobre había pasado mala noche tratando de calmar el hambre de su hijo y estaba muy desvelada. Aprovechando que el niño se había dormido ella trató de hacer lo propio, pero nuestras voces la despertaron. Yo corrí por mi cámara de fotos. Me la regaló John cuando estaba recuperándome en su casa y aprendí a usarla bajo su supervisión, pero aún no había tenido oportunidad de estrenarla en el rancho. Le tomé algunas fotos a Esperanza y corrí a revelarlas en el pequeño cuarto oscuro que John me ayudó a acondicionar. Traté de seguir las instrucciones que John me había dado, aunque una cosa es ver y otra muy diferente hacer. No me quedaron tan bien, creo que me equivoqué en el tiempo de exposición a la luz, pero bueno, el caso es que tengo una foto del momento. Imprimí una para mí y otra para Rosaura. Ella me lo agradeció muchísimo.

La fotografía me parece milagrosa. Aún
no entiendo cómo funciona, pero me llena
de dicha mostrarle a alguien lo que mis
ojos vieron. O ver en papel lo que otros
ojos miraron. Saber que Pedro, a pesar
de no haber estado presente este día,
va a poder ver los primeros pasos que
su hija dio sobre la tierra me emociona.
Cuando estaba lavando la foto recordé
a John. Me dijo que su abuela nunca
dejó que la fotografiaran, pues decía que
la cámara podría capturar su espíritu.
Me hizo reflexionar. Si el espíritu es
luz, definitivamente estaba en lo cierto.
Y definitivamente la luz influye sobre la
materia.

Maíz de mi milpa

Tamales de ceniza o corundas

Se pone a cocer el maíz negro en agua de ceniza hasta que se reviente. Se deja enfriar y luego se lava muy bien para poder quitarle el pellejo con facilidad. Después se escurre y se le añaden queso fresco y chiles anchos remojados con una pizquita de sal. Se muelen muy bien todos los ingredientes. Con esta masa se envuelven los tamales en hojas de maíz y se ponen a cocer en una tamalera. Cuando ya están cocidos se dejan enfriar y por último se fríen en aceite y luego se ponen a hervir dentro de un caldillo de jitomate y chiles verdes.

Donde hubo fuego, cenizas quedan. Hoy hice estos tamales en honor a mi mamá.

Querido diario, ¿qué crees? Hoy recibimos
una visita inesperada. Vino al rancho
Felipe Treviño, quien resulta ser medio
hermano de Gertrudis. Es hijo de José
Treviño, el mulato que fue el amor de la
vida de mi mamá. Sin previa cita, se
presentó en la puerta y pidió hablar con
mi hermana, pero como Gertrudis estaba
dormida pues nuevamente había pasado
muy mala noche, me ofrecí para recibirlo.
Rosaura no quiso ni verlo. Lo pasé a
la sala y ahí me hizo entrega de una
carta que su papá dejó al morir. Estaba
rotulada como "a la mujer de mi vida"
y hasta antes del nacimiento del hijo de
Gertrudis, él no sabía a quién se refería.
El pobre hombre sufrió mucho durante
el tiempo que estuvimos juntos. Trató de
ser lo más respetuoso posible. La situación
era muy delicada. Constantemente se
le cerraba la garganta y su voz se
debilitaba. Yo traté de prestarle ayuda
al confiarle que estábamos al tanto
de la relación entre su padre y mi

madre. Felipe se relajó y me agradeció
enormemente que le permitiera cumplir
con su misión. Resulta que Felipe le juró
a su papá en su lecho de muerte que
entregaría la carta a la mujer blanca
de la que se había enamorado y cuyo
nombre no alcanzó a revelar antes de
dar su última exhalación. Felipe nunca
hizo nada para saber quién era la
destinataria, pero tampoco se atrevió a
deshacerse de la carta. Sólo la mantuvo
oculta de la vista de su madre. Ahora que
en el pueblo se habían desatado rumores
sobre el hijo negro que Gertrudis había
tenido, él se sintió en la obligación de
entregar la carta a la que en apariencia
era su dueña, o sea, mi mamá. Cuando
supo que mamá ya estaba muerta, pensó
que a quien le correspondía recibir la
carta era a Gertrudis. De paso quería
conocerla. Finalmente todo apuntaba
a que corría la misma sangre bajo sus
venas. Para mí no había la menor
duda. A pesar de que tienen diferente

color de piel, no cabe duda de que son hijos del mismo padre. Tienen la misma forma de los ojos. La misma mirada, el cabello rizado, la boca carnosa y una nariz afilada, producto de la mezcla de razas. Cuando Felipe estaba a punto de retirarse, el hijo de Gertrudis comenzó a llorar y él amablemente me pidió que si podía conocer al niño. Le había traído de regalo una chambrita, cosa que a mí me pareció un muy buen detalle de su parte. Yo subí y le pregunté a Gertrudis si estaba de acuerdo con que el niño conociera a su tío y ella respondió afirmativamente. Felipe observó por un momento al niño con mucho cariño y le dio un beso en la frente. Luego se despidió, no sin antes dejarle sus respetos a mi hermana Gertrudis. Me dejó una tarjeta con su dirección en caso de que mi hermana quisiera reunirse con él en otro momento. La que luego puso el grito en el cielo fue Rosaura. Dijo que no le gustaba que entrara a la casa ese tipo

de gente. Gertrudis, que peca de clari-
dosa, le dijo sus verdades y Rosaura ya
no supo qué responder. La dejó callada.
Yo ni me metí en la discusión. Para qué.
Estoy de acuerdo con Gertrudis que para
acabar con el racismo y la esclavitud son
necesarias tanto las guerras civiles, como
las revoluciones. Y le aclaró que "ese tipo
de gente" a la que de manera despectiva
Rosaura se refería era la más valiente y
noble que ella había conocido, y ya para
rematar, le recordó que mi mamá tan
no vio diferencia entre el mulato y su
papá que a los dos les abrió las piernas
por igual. Rosaura casi se desmaya al
escuchar estas palabras y en respuesta a
lo que consideró una tremenda falta de
respeto a la memoria de mi madre, se
encerró en su recámara toda la tarde.
Gertrudis y yo aprovechamos para juntas
leer la carta que José Treviño le escribió
a mamá y terminamos llorando. No
cabe duda que "caras vemos, corazones
no sabemos". Ahora tengo una imagen de

mi mamá muy diferente a la de antes
y comprendo muchas más cosas. Lo que
sigo sin entender es por qué me negó
el derecho al matrimonio, cuando ella
sabía lo injusto que era eso. De cualquier
manera, le agradezco a Felipe el valor
que tuvo al venir a casa y brindarme
la oportunidad de recrear en mi mente
una foto memorable de la mujer que por
amor estuvo dispuesta a todo. Gertrudis
obviamente está más agradecida que
yo. En cuanto terminó de leer la carta
me pidió que le cuidara a su hijo por
un momento y se fue a buscar a Felipe.
Platicaron un buen rato. A su regreso
comenzó a empacar sus cosas, pues decidió
regresar con Juan mañana mismo. Metió
en su maleta la correspondencia entre mi
mamá y José Treviño y el medallón con
las fotos de ambos que mi mamá atesoró
dentro de un dije.

195

Elena querida, te escribo esta carta para hacer de tu conocimiento las causas y motivos que tuve para no aparecerme en la estación del tren. Sé que caminaste de un lado al otro buscándome con la mirada, esperando ansiosamente y temiendo que no llegara a tiempo. Sé que con una mano cargabas a nuestra Gertrudis y con la otra apretabas la manita de Rosaura. Lo sé porque estaba ahí. A lo lejos. Escondido. Temeroso de que tus hermanos me encontraran. Rafael me vio cruzar el puente y me anduvo persiguiendo un buen rato. Yo me refugié en casa de mi tía Julita. Mi tía me pregunta cómo es que no renuncio a ti. Teme por mi vida después del último atentado de tus hermanos en mi contra. Le parece increíble que tu familia me busque como si fuera el peor de los asesinos. A mí también me sorprende. Crecimos juntos, por Dios. ¿En qué momento resultó tan ofensivo el color de mi piel? (Hay veces que quisiera odiarlos pero no puedo. Bendigo que la familia de mis abuelos huyera de la Guerra Civil en Estados Unidos y buscara refugio en donde sus hijos pudieran crecer sin conocer lo que era la esclavitud. Bendigo que tu tío y padrino les hubiera dado trabajo y cobijo por tantos años, aunque en el camino se hubiera visto atraído de tal forma por la belleza de mi madre que la preñó a los quince años. Si nada de esto hubiera pasado yo no estaría vivo. No sería el mulato que te ama con locura. Nunca te habría visto, besado, amado, embarazado. Nunca hubiera sabido lo que era el amor. Si por eso ahora me condenan, bendigo la condena. Me declaro culpable y con gusto me dejaría colgar de un árbol. Si en su momento nos hubieran dejado ahora serías mi mujer y no tendríamos que andarnos escondiendo de nadie. Me rompe el corazón saber que ante mi ausencia te tuviste que regresar a casa de tu marido con la cabeza baja. Esa imagen me hace más daño que los balazos y me duele más que las fracturas de huesos que me provocaron. Y no me estoy quejando. Todo lo que sufrí lo volvería a sufrir con gusto si al final pudiera vivir a tu lado en paz. Yo soy capaz de arriesgar todo por ti. Mi seguridad, mi vida misma, pero durante esas horas de espera tuve tiempo de reflexionar y de pensar en mi hija y en la tuya. ¿Con qué derecho las iba a exponer al peligro? ¿Qué pasaría si hubiéramos logrado huir? ¿A dónde las hubiera podido llevar que fueran bien recibidas? Un mulato con una mujer blanca no es aceptado en sociedad. Punto. Así que por eso decidí darme la vuelta y abandonarte, sin embargo te aclaro que nunca le di la espalda al amor que siento por ti. Por favor educa a Gertrudis como una mujer libre. Que nunca sepa de esclavitudes, ni de prohibiciones, que se tumbe a tomar el sol donde quiera y a la hora que quiera. Que baile, que ría, que nada le impida galopar hasta la locura, que los ladridos de los perros no detengan su andar, que nunca tenga que elegir entre amar o vivir. Enséñale a ver el mundo con la mirada limpia de prejuicios. Tus ojos nunca me vieron como el bastardo de tu padrino, me miraron como soy más allá del color de mi piel. No es necesario que le hables de mí ni de cómo fue concebida, de cualquier manera su simple presencia siempre será un tributo al amor. Lo único que es una pena es que la luna por siempre se quedará esperando por nosotros.

José

Es increíble cómo pasa el tiempo a pesar de uno mismo. Han pasado dos años desde la muerte de mi mamá, desde que cancelé mi boda con John, desde que Pedro se fue de la casa, desde que vivo en mi nuevo espacio. Yo que no creía poder sobrevivir a tantas despedidas y a tantos cambios y ni siquiera he tenido tiempo de sentarme a llorar. Me siento como vía de ferrocarril a la que le pasan por encima, sin descanso, un tren tras otro y tiene que mantenerse firme. En este tiempo Chencha dio a luz a una bella niña a la que puso el nombre de Socorro. Gertrudis organizó un gran bautizo para Juanito, su hijo, aquí en el rancho y hospedamos a toda su tropa antes y después del evento. Esperanza y los borregos son tan amigos que éstos animales dócilmente dejan que se suba en ellos. Los alumnos de Rosaura ya dan pequeños conciertos de piano. Ya tenemos más vacas y hacemos crema y mantequilla para vender. Mi huerto ha crecido bastante y he sembrado en él nuevas plantas medicinales. Por las noches sigo tejiendo un rato antes de caer rendida de cansancio, después de haber lavado trastes, planchado pañales, asoleado colchones que las niñas orinaron, preparado papillas, regado plantas. A veces tengo la intención de escribir pero me da tanta flojera subir al palomar, bajar, escribir algo y luego volver a subir las escaleras para dejarte escondido y muy lejos del alcance de Esperanza (ya ves los rayones que te ha puesto), que me olvido de ti. Pero hoy me propuse firmemente ponerte al corriente no tanto de los acontecimientos, sino de mis descubrimientos culinarios. Como le comenté al padre Ignacio el día del bautizo del Juanito, cuando insistió en que yo podía condenarme por no asistir a la iglesia de forma regular. Yo le respondí que eso de ninguna manera significaba que estuviera alejada de Dios y le recordé que la misma Santa Teresa hablaba de que Dios también se encuentra entre los pucheros. Lo dije en serio. Cada vez percibo con más fuerza una energía, un espíritu, una esencia que se cuela entre mis cazuelas. No sé si llamarla Dios. No sé si referirme a ella como las deidades masculinas y femeninas en las que Nacha creía de manera ferviente y que habitan en el agua, en el aire, en los granos de maíz, de frijol o de cualquier semilla, o en el fuego mismo. Es irrelevante qué nombre darles pero definitivamente creo que suceden muchas cosas cuando uno cocina. Y no me refiero a las travesuras que Esperanza y Socorro hacen cuando me ven distraída en la estufa, sino a los cambios que uno provoca en los elementos. Definitivamente la energía personal tiene influencia sobre la comida. Llevo tiempo investigando y tratando de encontrar respuestas a muchas preguntas que cruzan por mi mente. Me pregunto ¿qué es lo que comemos?, ¿de dónde proviene?, ¿qué pasa cuando entra a nuestro cuerpo? Sobre todo, ¿es la luz lo que en verdad nos nutre? Para responderlas ya no me basta el libro de química que John me regaló.

Lo único que me queda y que tengo a mi alcance es la observación. Yo miro que la luz del sol, por ejemplo, está presente en el agua. He visto arcoíris grandiosos que se forman cuando, en medio de la lluvia, sale el sol e ilumina esas concentraciones de agua. O sea, el agua de esas gotas nos puede mostrar su color porque desde antes ya estaba ahí. Quisiera ser clara y me cuesta trabajo. Según el libro de química, los colores son luz, son vibración. El rojo de mis jitomates o el verde de mis yerbabuenas son luz. Luego entonces, cuando yo como, estoy ingiriendo luz. Esa luz es vibración, es un pulso, es una corriente de energía que transporta datos, información, de un lado a otro. Es conocimiento que nos llega desde los cielos. La luz del sol, de la luna y de las estrellas entra en forma de color, de olor o de sabor a nuestras bocas. No es lo mismo poner a serenar unas tortas de Navidad antes de comerlas o dejar secar al sol una carne que no hacerlo. El sabor es otro.

Comemos luz. La absorción de la luz por parte de los organismos es lo que origina la vida. Tal vez te preguntarás querido diario que cómo afirmo eso cuando es en la oscuridad que las semillas se convierten en plantas. También que es dentro de un vientre que se origina la vida, pero te diría que en ninguno de esos casos ha dejado de estar presente la luz. Incluso el color de la ropa con que las futuras madres cubren su vientre influye en la gestación. No creo que sea conveniente que se pongan un color negro; por ejemplo, ya ves que las viudas que andan de luto hasta se les llega a manchar la piel, pues el negro es un color que absorbe toda la luz. Es importante tomar en cuenta que la luz del agua que toman viaja por su torrente sanguíneo. La música que escuchan puede calmar o alterar al futuro bebé. Déjame decirte que he observado que las flores que están más cerca de la sala, en donde Rosaura da sus clases de piano, crecen mucho mejor que las que planto en otro lugar. Les gusta escuchar música que, como te repito, es luz. La luz siempre está interactuando con la materia. Ya bien sea que la absorba, la refleje o la transmita. Un jitomate contiene luz. Una cebolla contiene luz. Todos los productos que la tierra nos ofrece los puedo picar, freír, macerar, amasar, pero no así a la luz que contienen, esa permanece invisible e intocable. Lo único cierto es que he descubierto que el amor, como la luz, todo lo penetra, todo lo transforma, y cuando cocino con amor la gente lo recibe. Desde hace tiempo me he empeñado en percibir esa luz, esa energía amorosa que el universo me manda. ¿Te imaginas cuántos millones de años, de cielos, de estrellas entran en nuestro cuerpo con un simple trago de agua o con un trozo de tortilla? Comemos cielo. Comemos tierra. Comemos aire. Comemos fuego. Comemos conocimiento. Pensar que toda la historia de la humanidad entra a nuestra boca cada vez que comemos me conmueve.

Esperanza entre las yerbabuenas

La salud me resulta muy misteriosa.
A veces me parece más frágil que el ala
de una mariposa. De un momento a otro
puede desaparecer y es sólo hasta ese
momento que nos damos cuenta de lo mucho
que la necesitamos y empezamos a buscar
cualquier clase de ayuda con la esperanza
de volver a estar bien. Hace quince días
Esperanza se enfermó de sarampión. Nos
dio un gran susto. Obviamente contagió
a Socorro. Yo tuve que atender a las
dos niñas, pues Chencha de nuevo estaba
embarazada y de ninguna manera podía
exponerse al contagio. Rosaura no estaba
en el rancho. Había sido invitada a dar
un recital de piano en una escuela para
señoritas en San Antonio, Texas. Pedro
se acababa de regresar a su casa después
de su acostumbrada visita quincenal. Así
que tuve que afrontar el problema sola.
Al principio yo no sabía de qué estaba
enferma la niña. Sólo supe que el mal
que la aquejaba no se curaba con un
caldo de pollo. Era una dolencia mucho

más complicada. Estábamos sentadas en el porche dando de comer a las gallinas y me extrañó que Esperanza no mostrara el menor deseo de corretear tras ellas. Se sentó a mi lado y recargó su cabecita en mis piernas. Sentí su frente hirviendo y vi que tenía los ojos muy rojos. Tenía la temperatura tan alta que me asusté. La subí a su recámara y le puse manteca en las plantas de los pies pero no funcionó. La fiebre no cedió. Entonces le di una friega de alcohol mezclado con agua a partes iguales y momentáneamente se refrescó, pero al rato le volvió a subir la temperatura. La niña en verdad se sentía mal y lloraba mucho. Así que decidí llamarle a John Brown. No nos veíamos desde la cancelación de la boda. Me costó un trabajo enorme tomar el teléfono y pedirle a la operadora que me comunicara con él. Tenía miedo de escuchar su voz pero la urgencia del momento ameritaba que mis miedos y yo nos hiciéramos a un lado y procuráramos

no interferir. Del otro lado de la línea
respondió una mujer y me quedé helada.
¿Quién era? No reconocí la voz de Caty,
la cocinera, sonaba más bien como una
mujer joven. Los celos me atacaron.
¿John se habría vuelto a casar? Sentí
náusea. Y de inmediato me avergonzó
mi egoísmo. Yo fui la que dejé a John
al pie del altar y no tenía derecho a
nada, mucho menos a sentirme molesta
de que hubiera encontrado una nueva
pareja. Lo que pasa es que siempre
supuse que él me pertenecía por completo.
Traté de controlarme y pregunté por el
doctor Brown. La mujer amablemente
me informó que John estaba con una
paciente pero que en cuanto se desocupara
le podría dar mi recado. Me sentí como
una tonta dándole mi nombre y mis datos
a esa desconocida. ¿Cómo explicarle que
yo era su ex prometida? Que John y yo
nos quisimos tanto que estuvimos a punto
de casarnos, que yo no era una simple
paciente. Que yo era algo más. Se me hizo

un nudo en la garganta. Tuve que hacer
un gran esfuerzo para continuar con el
interrogatorio que me hacía esa señorita
con respecto a los síntomas de Esperanza,
y colgué el teléfono lo más pronto que pude.
Se me hizo eterno el tiempo que tuve que
esperar. La verdad no fue mucho, pues en
cuanto John se enteró de que yo lo había
llamado y que Esperanza estaba enferma
corrió a vernos. La verdad yo no esperaba menos, conociendo el enorme compromiso
moral y ético que John siempre ha tenido
con cada uno de sus pacientes, y también
el gran cariño que me profesa. Bueno, en
ese momento pensé que no debía estar tan
segura de esto último y la duda se metió
como un cuchillo helado dentro de mi
corazón. La última vez que había tenido
noticias suyas fue hace como un año y
medio, cuando me envió una carta desde
Pennsylvania, donde vive su tía Mary, en
la cual ponía en evidencia sus sentimientos
hacia mi persona.

Querida Tita,

te escribo esta carta desde mi exilio voluntario sólo para hacer de tu conocimiento que me encuentro bien pero aún no he alcanzado el estado de paz que busco. I'm not there yet. Necesito tomarme un poco más de tiempo antes de volver a casa. No quiero que te preocupes. Es sólo que los cambios internos toman tiempo. Hay que asimilarlos. Hay que acomodarlos. Sobre todo hay que reconocerlos. Lo que siento por ti, Tita, es algo que no puedo explicar ni nombrar. Llámalo constancia si quieres. Es algo que siempre está presente en mi corazón sin que nadie me lo pueda arrebatar. No es producto de un momento. Ni siquiera tienes que estar cerca de mí para que lo experimente. Lo cual me lleva a aceptar como cierta una idea que por años ha rondado en mi cabeza y que me dice que el concepto que tenemos de tiempo y espacio no es real. Sólo la luz lo es. Tú y yo no somos dos seres separados, que viven en lugares y tiempos diferentes. No. Somos quienes un día nos vimos profundamente a los ojos, nos reconocimos y nos unimos en la luz. Con eso me quedo. Con eso vivo. Y te aseguro que soy feliz. No sientas pena por mí.

Tu eterno John Brown.

Corrí a mi recámara a buscar la carta
y la releí varias veces antes de que John
apareciera en el umbral de mi puerta
como una promesa de sanación para
Esperanza. La carta no podía ser más
clara pero ya había pasado año y medio
desde que la escribió y las cosas podían
haber cambiado. Tal vez por eso me
sentí tan celosa al verlo en compañía de
Shirley, una bella y simpática enfermera
que llegó junto con él. Supuse que era
la misma mujer que atendió el teléfono
cuando llamé. No hubo tiempo de muchas
formalidades entre nosotras. John nos
presentó brevemente y de inmediato
pasamos a ver a Esperanza. Más tarde
John me informó que Esperanza tenía
sarampión y al ser una enfermedad
viral no había mucho que hacer aparte
de cuidar que no le subiera mucho la
temperatura. Me dio una serie de
instrucciones y eso fue todo. Los acompañé
hasta la puerta. Antes de despedirnos le
pregunté a John por su carretela. De

alguna manera quería hacerle notar a
Shirley que John y yo teníamos tiempo de
ser amigos. Fue un recurso infantil de mi
parte, lo reconozco, pero no lo pude evitar.
John me explicó que aún conservaba su
carretela pero que casi ya no la utilizaba,
pues el uso del automóvil le permitía
viajar con más rapidez y atender más
casos de emergencia. Mientras hablaba no
dejé de observarlo. Lo vi distinto. Lucía
unas cuantas canas que lo hacían verse
mucho más guapo y distinguido. Me llamó
la atención que le hubieran aparecido,
pues no está en edad de peinar canas.
Sus grandes ojos azules tenían un brillo
especial que yo no supe a qué atribuir,
podía ser a la alegría de verme o a
la compañía de Shirley. Quería hablar
tantas cosas con él. Mostrarle mi pequeño
laboratorio. Platicarle de mis experimentos.
Escuchar sus consejos, pero ahora sí que
sólo nos hizo una visita de médico y se
retiró de inmediato. Cuando John partió
me quedé como hipnotizada viendo cómo se

alejaba, hasta que se perdió por completo
en lontananza. Mientras desaparecía
de mi vista, sufrí un ataque de envidia
y celos. Ahora entiendo lo que Pedro
tiene que haber experimentado cuando yo
me iba a casar con John. Es increíble
la manera en que estos sentimientos nos
pueden nublar el entendimiento. El día
de hoy yo hubiera dado cualquier cosa
por ir sentada al lado de John. Ése era
el lugar que me correspondía. Vino a mi
mente aquel día lejano en que me rescató
del palomar y me subió a su carretela.
Fue un parteaguas en mi vida. Ahora
daría lo que fuera por retroceder en el
tiempo y viajar con él sin descanso, sin
rumbo fijo. Los amores truncados son
como las enfermedades. Nos hacen valorar
lo que teníamos antes y nos impulsan a
tratar de recuperar aquello que perdimos
por descuido o por azares del destino.
Pienso que esto que acabo de escribir
tal vez es incorrecto, no son los amores
truncados sino los celos los que son una

enfermedad. Una terrible enfermedad. Y yo no conozco el remedio para curarla. John sí. Se le nota tranquilo, en paz. Diría que hasta contento a pesar de nuestro rompimiento. Es obvio que su herida sanó exitosamente. Y no creo que haya sido por el paso del tiempo. No. Fue algo más. Me gustaría que me dijera cómo se le hace para aceptar que la persona que uno ama sea feliz en brazos de otra. ¿Cómo se oculta el dolor que inevitablemente se escapa del alma a través de la mirada? Me gustaría que respondiera a ésta y a mil preguntas más, pero no sería correcto acudir a John con este propósito. Tengo que sanar por mí misma, no me queda otra. Tal y como él mismo lo hizo. Claro que a John le debe haber ayudado poner distancia entre nosotros y yo no puedo hacer lo mismo. Tal vez tendría que irme lejos, muy lejos. Cambiar de piel una y mil veces hasta lograr que mi cuerpo sea el reflejo de una mente que venció su enfermedad.

Presentarme ante John con el orgullo de haber sanado y no temerosa de que note que los celos me corroen. Estoy segura de que de inmediato se daría cuenta de mi cambio. Notaría que mi mirada ya no grita pidiendo auxilio. Que ya no tengo el llanto a flor de piel, que bebí de la placenta celeste que nos une irremediablemente. Que descubrí cómo instalarme en la luz, en ese paradisiaco lugar en donde todo cambia y en donde todo lo perdido se reencuentra.

Mi vaca y su becerro

Me doy cuenta de que a veces tengo la idea falsa de que todo está bien porque me levanto temprano, voy a recoger los huevos y la leche recién ordeñada, de pasada les doy de comer a mis animales, muelo maíz para tortillas, recojo las bacinicas de las recámaras y las lavo, preparo el desayuno, lavo trastes, voy al mercado, comienzo a preparar lo que vamos a comer, salgo a poner en el depósito de la composta los desechos de frutas y verduras, con el propósito de que nada se desperdicie. El alimento siempre vuelve al alimento en una cadena de reproducción interminable, en la cual todos participamos. En fin, cumplo con todas mis tareas a cabalidad. Esperanza crece sana, Rosaura, aparte de estar realizando lo que le gusta y haber recuperado el apetito, está adelgazando. Chencha tiene leche suficiente para alimentar a Socorro y a su nuevo hijo, los cuales sólo se llevan diez meses de diferencia. Todos estamos bien. Todo

está bien. Todo crece. Todo florece.
Tenemos todo lo que necesitamos y hasta
en abundancia. Sin embargo, a veces
siento que algo me falta. Que no basta
con llenar mi día con las vidas de los
demás para sentirme bien. Siento que
dejé pasar el amor. Que no lo cuidé. No lo
podé. No le quité las hojas muertas. Lo vi
nacer, crecer y dar un bello fruto que no
tuve la precaución de cuidar para que se
reprodujera por siempre. No, lo dejé caer
en la tierra y permití que se pudriera.
Eso es desperdiciar la vida. Y vaya que
me duele.

Ya regresó Rosaura y se está haciendo cargo de Esperanza. Pedro también está en casa. Adelantó su visita quincenal cuando se enteró de que su hija estaba enferma. Me imagino que después de la muerte de Roberto, les aterra que Esperanza pueda sufrir una enfermedad mortal. Para mí ha sido un alivio que sus padres estén a su cuidado porque así no tengo que ver a John ni a Shirley cuando vienen a realizar sus visitas médicas. La niña ha reaccionado muy bien y se encuentra mucho mejor, lo cual me da mucho gusto. Rosaura se ha portado muy bien conmigo estos días. Si alguien entiende de celos es ella y por lo mismo su comportamiento hacia mí ha sido de lo más comprensivo. Me ha conmovido mucho su interés por darme noticias de John sin que yo se las haya pedido expresamente. Por su boca me enteré de que John no es novio de Shirley. La está entrenando, eso es todo. No sé hasta dónde Rosaura le anda haciendo a la Celestina por buena gente o la verdad es que quiere que me reconcilie con John para librarse de mí. Tal vez soy injusta con ella y la mueve un deseo auténtico de procurar mi dicha. Le agradezco su esfuerzo y, la verdad, me dio mucho gusto saber que John y Shirley no son novios. Sin embargo, no me tranquiliza del todo porque ése no es el problema. Soy yo. Me asusta mi egoísmo. Mi deseo de ser especial en la vida de alguien, ya sea que se trate de Pedro, de John o de la misma Esperanza. Creo que me urge abrir mi corazón.

Chocolate con chile y achiote

Ingredientes:

Frijoles gordos	Lechuga
Carne de puerco	Aguacate
Chicharrón	Rábanos
Chile ancho	Chiles tornachiles
Cebolla	Aceitunas
Queso rallado	

Manera de hacerse:

A los frijoles primero se les tiene que dar un cocimiento con tequesquite y, después de lavados se ponen nuevamente a cocer junto con pedacitos de carne de puerco y chicharrón. Después de desvenados los chiles, se ponen a remojar en agua caliente y, por último, se muelen. La cebolla se pica y se pone a freír en manteca. Al dorarse se le agrega ahí mismo el chile ancho molido y sal al gusto. Ya que se sazonó el caldillo, se le incorporan los frijoles junto con la carne y el chicharrón. Al momento de servirlos, se les pone el queso rallado y se adornan con hojas tiernas de lechuga, rebanadas de aguacate, rabanitos picados, chiles tornachiles y aceitunas.

Anoche, antes de dormir, efectivamente
me preparé una taza de chocolate y
me la tomé sorbo a sorbo como parte
de un ritual que yo misma he ido
imaginando, recreando o inventando,
llámalo como quieras. Desde que lo
estaba preparando escuché claramente
la voz de Nacha que me sugirió ponerle
un poco de achiote y chile. Yo la obedecí.
Si estando en vida nunca le cuestioné
ninguna orden en la cocina, mucho
menos ahora. Ella es la gran chamana.
Al beber el chocolate entré en un
estado extraño. A pesar de tener los
ojos cerrados, aparecieron en mi mente
luces de todos colores que se fueron
convirtiendo en presencias luminosas.
No me pidas explicaciones de cómo fue
que vi lo que vi, sólo te digo que ante
mis ojos internos se aparecieron los
rostros sonrientes de Nacha y de Luz
del Amanecer, quienes comenzaron a
cantarme en sus lenguas originarias y
mi corazón comenzó a pulsar al ritmo

de sus cantos. La fuerza del latido
se fue incrementando a tal punto que
sentí que mi corazón explotaba en mil
pedazos y de su interior brotaba un
rayo de luz que me jalaba con fuerza
fuera de mi cuerpo y me disparaba al
centro de la Vía Láctea. Lo único que
me mantenía unida a la Tierra era
un estambre de plata. Era un hilo de
estambre suelto, aislado, frágil. Por un
momento me sentí perdida y temí que
el estambre se fuese a reventar. En ese
momento, Nacha y Luz del Amanecer
tomaron mi estambre plateado entre
sus manos y lo comenzaron a entretejer
con otros hilos igual de luminosos, entre
los cuales reconocí los de mi madre y
mis hermanas. Me agradó sentirme un
hilo de estambre que se transformaba,
que cambiaba, que se fortalecía en la
medida en que pasaba a formar parte
de un hermoso tejido. Comprendí que un
hilo de estambre aislado no resiste. Se
troza. Un hilo de estambre entrelazado

adquiere la fuerza de miles. Me sentí
en casa. Y como si fuera Alicia en el
País de las maravillas, o cualquier
otro personaje de un cuento fantástico,
cada vez que me enlazaba con otro
ser humano se encendía su rostro
como me imagino que funcionan las
lámparas fluorescentes que Tesla
inventó y que tanto maravillaron a
John cuando las vio en la Feria
de Chicago. Como siempre, me estoy
saliendo del tema, lo que te quería
narrar es algo que llamó fuertemente
mi atención y es que todos los rostros
que yo veía tenían unos enormes
ojos azules. De un azul eléctrico
que me es difícil describir. Yo me
quedé un rato mirando el rostro
de mi mamá y vi que teníamos un
parecido físico sorprendente. Se podía
decir que éramos la misma persona.
Permanecimos un momento mirándonos
a los ojos y vi que de las pupilas
de ambas salían corrientes de luz

parecidas a un cordón umbilical, las cuales nos permitían alimentarnos una a la otra. Sus ojos parecían decirme que ella sabía lo que yo sabía. A las dos se nos llenaron los ojos de lágrimas y nos dimos un gran abrazo. En ese instante sentí que los lazos que me unían a todo y a todos eran irrompibles. Que nunca se está en soledad. Vi que Shirley era yo misma con otro rostro, que en verdad no hacía diferencia quién estaba al lado de John y quién no. Todos formábamos parte de un mismo tejido. De una gran colcha. De una amorosa colcha. La fuerza del amor que en ese momento experimentaba fue tan grande que llegó el punto en que bendije a Shirley por estar cerca de John, brindándole una compañía que yo no podía darle. En ese momento comprendí que el amor no es cosa de cuerpos. Circula libremente por dentro de todos nosotros, a toda hora, a todo momento. Es una energía que amorosamente toma la punta de cada uno de nuestros estambres y los convierte en un tejido luminoso. Enorme. Conmovedor. Anoche lloré de amor. De otro tipo de amor que yo desconocía. Se trata de un amor que no se acaba, no se desperdicia, que no se evapora, que no muere, que permanece. Di gracias al Señor Chocolate por el regalo que me brindó.

Arbol de cacao

Mamá

Hoy por la mañana puse una ofrenda para Nacha y Luz del Amanecer. La adorné como las que pongo para los altares de Día de Muertos. Me quedó muy bonita. El único detalle distinto fue que, como no es temporada, en lugar de utilizar flores de zempasúchil, puse unas bellas flores de mi jardín. Todo lo demás estaba de acuerdo con la tradición. Los cuatro elementos estaban representados correctamente: el fuego con velas, el aire con incienso, la tierra con las flores y en lugar de agua simple le puse una jícara con chocolate bien batido. Gracias a Dios aún tenía unas barras de chocolate que Chencha me trajo de su pueblo cuando fue a Oaxaca. Lo preparé con especial esmero. Tuve mucho cuidado de esperar que el agua estuviera a punto de hervir antes de añadirle el chocolate y luego me mantuve atenta para impedir que hirviera el agua. En cuanto subía la espuma la retiraba del fuego. Esperaba un momento para que reposara y luego volvía a colocarla sobre la parrilla.

Así lo hice tres veces antes de batir el
chocolate. Ésa fue la mejor manera que
encontré para honrar a Nacha y Luz del
Amanecer y agradecerles que hubieran
estado a mi lado durante la ceremonia
del chocolate. Todo esto lo hice a pesar
de que Esperanza me acompañó durante
todo el proceso. Me la trajeron porque ya
no aguantaba más tiempo recluida en su
cuarto. Su recuperación fue sorprendente.
El sarampión es cosa del pasado. La
más clara prueba de ello es que de
nuevo comenzó a hablar como tarabilla y
pregunta todo lo que puede. Pacientemente,
le respondí una a una sus preguntas.
Le dije que estas ofrendas se ponen en
ocasiones especiales, sobre todo el Día de
Muertos con la intención de que quienes
ya dejaron este mundo puedan regresar
y gozar de los alimentos que uno les ha
preparado. Esperanza me preguntó si esta
ofrenda la habíamos preparado para la
mujer cuya foto colocamos en el centro. Le

respondí que sí, que esa era Nacha y me dijo: ¿Ella era tu mamá? No, le respondí, pero yo la quise como si lo fuera y por eso le estoy haciendo su chocolate, estoy segura de que el olor que despide le va a agradar mucho. ¿Y cómo va a oler su chocolatito si ya está muerta, Tita? Ahí se me empezaron a complicar las cosas. No es nada fácil explicar a una niña de tres años cosas del espíritu. A mí me gustaría que alguien me respondiera esa y muchas otras preguntas. Sería un alivio que alguien me asegurara que voy a poder observar y cuidar a Esperanza desde el más allá y que ella me va a poder escuchar y ver tal y como yo escucho y veo a Nacha. Que va a acudir a mí en busca de ayuda cuando esté afligida. Que por siempre va a poder sentir el profundo amor que le profeso. Me cuesta trabajo aceptar que algún día Esperanza se quedará sin mí y que yo ya no podré ser testigo de su felicidad o de sus penas. Que no volveré a escuchar sus palabras, su risa, su canto. Me afecta pensar en la muerte.

Y como si la niña me estuviera escuchando, me preguntó: "¿Y cuando ya estés muerta, quién te va a poner una ofrenda si tú no tienes hijos?" "Bueno, pues la pondrán los que se acuerden de mí", le dije y ella me respondió: "Yo siempre me voy a acordar de ti". "Pues entonces fíjate bien cómo se hace el chocolate para que me lo puedas hacer algún día", le respondí entre risas.

Yo creí que ahí había terminado todo; nos salimos a dar de comer a las gallinas y fue hasta la noche en que regresé a mi habitación que te encontré abierto sobre mi cama, mi querido diario, y descubrí que Esperanza había escrito en la página anterior: mama. ¿A qué hora aprendió a escribir? Es un total misterio. Lo cierto es que tenía días en que me preguntaba mucho por las letras. Tomaba alguno de mis libros y señalando alguna letra con su dedito me decía: "¿Y ésta cómo se dice?" Nunca pensé que luego ella iba a unir las letras una con otra y mucho menos que las iba a poder escribir.

Dill Pickles

:

20 dill cucumbers

1/2 teaspoon powdered alum

1 clove garlic

2 heads dill

1 red hot pepper (if wanted)

1 quart vinegar

3 quarts water

1 cup salt

Wash cucumbers, let stand on ice water one night. Pack in sterile jars.
To each quart, add alum, garlic, dill. Combine vinegar, salt and water, and bring to boil. Fill jars. Place dill in bottom.

Pepinillos en vinagre

20 pepinos
½ taza de alumbre en polvo
1 diente de ajo
2 manojos de eneldo
1 chile
1 litro de vinagre
3 litros de agua
1 taza de sal

Se lavan los pepinos y se dejan
remojando en agua con hielo por una
noche. Luego se ponen en frascos limpios.
Por cada litro de agua se agrega
alumbre, ajo y eneldo. Se combina
vinagre, sal y agua, y se hierve. Con esa
mezcla se llenan los frascos.

El día de hoy fue un día de grandes contrastes. Desde mi experiencia con el chocolate había tenido unos días de mucha tranquilidad. Me sentía muy feliz y contenta pero el día de hoy Gertrudis me hizo desesperar. Lo que pasa es que estaba preparando unos pepinillos en conserva para regalarle a John como muestra de agradecimiento. Atendió a Esperanza con todo cariño y dedicación y, aparte de todo, se negó a recibir un pago por sus servicios. Rosaura y Pedro me pidieron de favor que si no le preparaba algún platillo y a mí se me ocurrió hacer los pepinillos con una receta que Caty me había dado. Era una receta de la familia de John. Como no es algo que yo cocine con frecuencia, la preparación requería que estuviera muy pendiente de cada paso. En esas estaba cuando llamó por teléfono Gertrudis y bueno, no me malinterpretes esto que voy a escribir, porque hasta miedo me da andarme pareciendo a mi hermana Rosaura, que se opone a todo lo que huela a cambio, ¡pero me desesperó hablar tanto rato con el auricular pegado en el oído! Esto tampoco quiere decir que me oponga a la modernidad, pero no me convence del todo tener un teléfono en casa. Reconozco que fue una bendición tenerlo a la mano en el caso de la enfermedad de Esperanza, pero siento que de pronto la gente cree que uno está sentada esperando a que el aparato suene para contestar y ponerse a platicar por horas y no es así. Bueno, al menos no en mi caso. Tengo muchas cosas que hacer, no ando por ahí rascándome el ombligo. El timbre del teléfono me desconcentra y las conversaciones que se prolongan, mucho más. No me dejan cocinar en paz. Lo peor es que en el caso del día de hoy no había forma de cortar la conversación con Gertrudis, pues estaba muy enojada, y con justa razón. Resulta que me platicó (palabras más,

palabras menos) que en la redacción de
la Constitución Mexicana no se otorgó el
voto a las mujeres bajo el argumento de
que las mujeres no sienten la necesidad
de participar en asuntos públicos, ¡como
lo demuestra la falta de movimientos
colectivos en ese sentido! Te imaginas
el insulto que esto representa para
alguien que participó activamente en la
Revolución, que arriesgó su vida y que
fue testigo del papel que las soldaderas
jugaron en la lucha armada, por dar
sólo un ejemplo. Bueno, pues Gertrudis
estaba enfurecida. Yo la dejé hablar
y hablar hasta que se calmó un poco, y
para cuando colgamos el vinagre de mis
pepinillos echaba espuma, signo inequívoco
de que la conserva estaba arruinada
y tenía que comenzar a hacerla de
nuevo. Sé que no es tan grave, peor es
pensar que se necesita organizar otra
Revolución y redactar otra Constitución
para que se le haga justicia a las
mujeres. Lo único que me sirvió de

consuelo fue saber que mi decisión de
quedarme en casa para intentar cambiar
las cosas en mi familia aún no la puedo
considerar un fracaso. Vamos a ver.

Las amigas de Gertrudis

Creo que desde que Esperanza aprendió
a hablar no le ha parado la boca.
A veces hasta me marea. Te consta
que disfruto mucho sus ocurrencias
pero últimamente me mete en muchos
problemas pues su curiosidad ha ido en
aumento. Precisamente hoy se le ocurrió
ametrallarme con una serie de preguntas
mientras envolvíamos nuestros regalos de
Navidad. El color rojo de los moños fue
el detonador que disparó su ansia de
conocimiento y me preguntó por qué le
puse un papel rojo a las ventanas cuando
tuvo sarampión. "Porque lo mismo hizo mi
mamá cuando a mí me dio sarampión", le
respondí. Y de ahí se siguió de corridito.
Que por qué ponen huevos las gallinas, que
por qué el hijo de Gertrudis es negro,
que por qué no tengo novio, que por qué su
papá no vive en la casa, que por qué hay
que comer verduras, que por qué los perros
a veces se quedan pegados y no se pueden
separar. Se fui respondiendo una a una
sus preguntas, tratando de no profundizar

mucho. La que me costó más trabajo
fue la referente al color de la piel de
su primo Felipe, el hijo de Gertrudis.
Finalmente le respondí que Felipe era
negro porque su abuelo también lo era.
¡Ah!, me respondió. De haber sabido que
se conformaba con una respuesta tan
simple no me habría preocupado tanto en
buscar respuestas adecuadas a su edad.
Creí que ahí había terminado todo, pero
al rato insistió. Oye, pero ¿y lo de los
perros qué? Por fortuna llegó Socorro a
buscarla para salir a jugar y se olvidó
de todo. Me salvó la campana. Pero luego
yo me quedé pensando en lo que le dije
y pensé que uno nunca sabe bien a bien
por qué hace las cosas. Le podemos llamar
costumbre. Repetimos actos sin tener
mucha conciencia de ello, que luego se
convierten en tradición. La verdad no sé
por qué se debe poner el papel rojo en las
ventanas cuando alguien tiene sarampión,
ni por qué últimamente ponemos el árbol
de Navidad en vez del nacimiento, ni

a quién se le ocurrió que las tortas de
Navidad se institucionalizaran como parte
fundamental de la cena navideña, ni
por qué fregados en mi familia hay una
maldita costumbre de que las mujeres nos
quedemos solas.

Ayer celebramos la Nochebuena. Rosaura
invitó a John y a Alex a cenar con
nosotros. Creo que en parte fue como
agradecimiento y en parte como estrategia
para unirnos nuevamente. Yo igual se lo
agradezco. Resultó una cena de Navidad
muy agradable. Al principio sentí que
existía una cierta tensión entre Alex y
yo como producto de la cancelación de la
boda con su papá. Sentí que me miraba
con ojos de reproche. No jugueteaba conmigo
de la manera en que acostumbrábamos y
era totalmente entendible. Por fortuna,
Esperanza estaba presente y eso permitió
que se relajara el ambiente. De inmediato,
hicieron buenas migas a pesar de la
diferencia de edades que existe entre ellos.
Alex está por cumplir ocho años y Esperanza
tiene tres. Cuando repartimos los regalos,
Esperanza abrazó a Alex y le plantó un
gran beso. El niño se sintió intimidado pero
se ve que le gustó la muestra de cariño. A
la que no le agradó nadita fue a Rosaura.
Discretamente tomó a la niña de la mano

y la apartó de donde nos encontrábamos
reunidos para advertirle que no anduviera
dándole besos a los niños. Obviamente
Esperanza preguntó por qué y ya no alcancé
a escuchar lo que mi hermana le respondió.
Lo bueno es que no creo que la advertencia
haya hecho mucha mella en Esperanza,
porque al poco rato la vi darle otro beso
a Álex, sólo que ahora a escondidas de
su mamá. Lo que definitivamente resultó
todo un éxito fue la elección de los juguetes.
John le regaló a Esperanza un pequeño
microscopio para satisfacer su ansia de
conocimiento y ¡le encantó! Rápidamente
fui a la cocina, partí una cebolla y le
retiré la telita que separa una capa de
la otra y se la di a Esperanza para que
estrenara su aparato. Se maravilló con
los colores y las figuras que pudo observar.
Álex, por su parte, celebró mucho el par
de patines que recibió por parte de mi
familia, mismos que de inmediato estrenó
en la sala ante el espanto de Rosaura. Mi
mejor regalo fue haber podido abrazar

a John aunque fuera por un momento,
fue un bálsamo de paz, y, bueno, siendo
sincera, también el que no hubiera venido
Shirley, pero lo que más disfruté fue
cuando Alex y yo nos abrazamos como en
los viejos tiempos. Fue una muestra de
cariño sincera, franca, abierta. Siento
que el calor que se desprendió de mi
corazón al sostenerlo entre mis brazos fue
tan fuerte que derritió la capa de hielo
que se interponía entre nosotros, y ¡cómo lo
disfruté! Me encanta el momento en que
una cosa se convierte en otra. En que el
hielo se vuelve agua que fluye, que limpia,
que humedece los ojos. Afortunadamente en
este caso en particular el muro de hielo
que nos separaba no era muy denso, de
otra forma me hubiera tomado más tiempo lograr que se derritiera. Mientras más
grande y sólida sea la materia, más lenta
resulta su transformación. Un gran trozo
de hielo como el que utilizo en mi nevera
tarda mucho más en derretirse que el de
un raspado de limón.

Srita.
Josefina De la Garza
Hidalgo 709 –
P. Negras, Coah.

Made in France – Fabriqué en France

!Feliz Navidad Tita!
Te deseamos los mejor
para el año entrante
Gertrudis, Juanito
y Juan.

diciembre 1, 1916

Uno se da cuenta de la enfermedad demasiado tarde. Cuando ya se manifestó. Cuando ya no hay nada que hacer. Se va desarrollando de manera silenciosa e invisible en nuestro interior sin que uno pueda tomar providencia alguna. Si uno pudiese advertir a tiempo el complot que las bacterias organizan en contra de nuestras células otro gallo nos cantara. Hace mes y medio me dio tifoidea y me dio fuerte. Me pasé un mes en cama. Apenas estoy tomando fuerzas y lo primero que quise hacer fue escribir mi experiencia. Fíjate que todo comenzó un día en que sentí como que me iba a dar un resfriado. Me dolía mucho la cabeza y tenía el cuerpo cortado. Me recosté en mi cama, pero al poco rato me despertó un dolor en el vientre y un malestar general. Mi cuerpo temblaba de frío. Me puse encima mi enorme colcha y nada. Al poco rato me comenzó a subir la temperatura y no me la pudieron bajar con nada. Chencha se asustó y fue por

Rosaura, quien a su vez llamó por teléfono a John, con la mala suerte de que no lo encontró. Su tía Mary había fallecido y él se había trasladado a Pensylvannia para asistir a su funeral. La única que se encontraba era Shirley y amablemente se ofreció a venir a verme. Yo me sentía tan mal que no opuse resistencia. Tengo que reconocer que estoy viva gracias a ella. Rápidamente dio un diagnóstico muy acertado y comenzó a medicarme. Todos los días me hacía una visita médica y yo la esperaba con ansia. Tiene una paciencia y una dulzura muy especiales para tratar a los enfermos. Algunos días, no sé si como producto de la fiebre alta, llegué a observar que la acompañaban Nacha y Luz del Amanecer. Cuando me ponía paños fríos en la frente, te juro que sentía las manos de Nacha actuando a través de Shirley. Esto, por supuesto, no lo he comentado con nadie. No quiero que tomen a broma algo tan serio. Lo más asombroso fue que uno de esos días,

Shirley vino con Alex pues no había nadie
que lo cuidara en casa. Alex y Esperanza
comenzaron a jugar en el patio a las
correteadas. Yo los escuchaba gritar con
gran desenfado. En una de esas, no sé
cómo fue que Alex jaló a Esperanza de las
trenzas para que no se le escapara y mi
sobrina se molestó tanto que le dijo: "Vas a
ver, te voy a acusar con tu abuelita". Alex
se rió y le dijo: "Mi abuelita ya se murió".
"¿Que qué?", dijo mi sobrina y luego agregó:
"Tu abuelita está aquí, la estoy viendo, vino
a cuidar a mi Tita y dice que por la
noche te va a venir a jalar de los pies si
no dejas de molestarme". Alex ya no supo
qué responderle. Lo que dijo Esperanza
para mí fue la confirmación de que no
estoy loca, que hay gente que puede ver
otras presencias. ¿En qué consiste que unos
veamos y otros no? ¿Por qué los niños lo
hacen de manera natural? ¿Por qué yo sólo
lo hago en determinadas circunstancias?
No lo sé. Pero de que vi a Nacha y a Luz
del Amanecer asistiendo a Shirley, ¡las vi!

Eso no quita que yo le agradezca en el alma a Shirley la entrega y devoción con la que me cuidó. No tengo cómo agradecerle, pues nunca en mis veintiún años me había sentido tan mal. Diariamente Shirley llegaba muy temprano para ver cómo había pasado la noche. Le ayudaba a Chencha a cambiar las sábanas de mi cama porque invariablemente amanecía empapada en sudor. Ella se ofreció a llevarse las sábanas sucias para lavarlas y plancharlas en casa, pues Chencha no se daba abasto. Me encantaba que ella lo hiciera, ya que planchaba mis sábanas con agua de lavanda; nunca olvidaré la maravillosa sensación de meterme a una cama perfectamente bien aromatizada y planchada. Definitivamente eso debe de haber influido en mi recuperación. La ayuda de Shirley fue fundamental, es más, hasta llegué a agradecer que fuera ella y no John quien me hubiera atendido. Con John me habría sentido intimidada; en cambio, con Shirley no. Me sentía en total confianza. Estaba tan débil que Chencha y

Shirley me tenían que sostener entre los
brazos para darme mi baño de esponja
y cambiar mi camisón. Luego, en lo que
Chencha sacaba el orinal y se llevaba
mi ropa sucia, Shirley se encargaba
de limpiar mi cuero cabelludo con la
ayuda de una toalla y agua de naranjo.
Después me cepillaba y me trenzaba el
pelo. Luego se encargaba de traer un
recipiente para que me lavara los dientes
y listo. Me dejaba perfectamente limpia y
fresca. Definitivamente, fue un ángel en
mi camino. Ella nunca se va a enterar
pero no sólo me curó de la tifoidea, sino
que sanó ese tipo de heridas invisibles que
sólo se curan con amor. No existe ningún
emplasto o pomada o medicina que funcione
para curar los celos más que el amor. El
amor filial. A partir de mi enfermedad
no considero a Shirley como mi rival,
sino como mi hermana. Si se hace novia
de John y se casa con él lo entenderé
y aceptaré con alegría. John se merece
alguien así en su vida.

247

Querido diario, dirás que ya no tengo
vergüenza. De nuevo dejé pasar dos años
antes de volver a escribir en tus páginas.
El tiempo pasa volando y no hay manera
de detenerlo. Pues nada, creo que es
importante decirte que John y Shirley
finalmente se casaron. No es algo que me
tomara por sorpresa, yo lo vi venir desde
el principio, pero pasó tiempo antes de
que ellos mismos se dieran cuenta de lo
que sentían uno por el otro e iniciaran
una relación amorosa. Tres meses antes
de la ceremonia, John, como el caballero
que es, vino a verme y tuvo la delicadeza
de comunicarme que había tomado la
decisión de contraer nupcias. Él deseaba
que yo fuera la primera en saberlo.
De mis labios sólo recibió las mejores
alabanzas para Shirley y mis más
sinceras felicitaciones por su elección. No
creas que me costó trabajo. Dije lo que en
verdad pienso. Claro que no te niego que
mi estómago recibió un pequeño impacto
al escuchar la noticia, pero no fue nada

comparado con lo que sentí el día en que
por primera vez los vi juntos. Esos celos
quedaron atrás. Nuestra conversación fue
breve pues a pesar de que entre nosotros
ya no había ningún lazo que no fuera
el amistoso, estábamos muy conmovidos.
Al final nos dimos un largo abrazo. Te
parecerá extraño que te cuente todo esto
tan tranquila, pero así me siento. Creo
que fue lo mejor para John y Alex. Los
veintidós años que cargo encima me han
hecho madurar y aceptar cosas que hace
unos años me hubiera resultado imposible
de enfrentar. Pienso que tal vez en algo
influye el gran cariño que siento por
Shirley. Sé que será la mejor madre y
la mejor esposa del mundo.
Te cuento que todos en la familia asistimos
a la boda. Esperanza fue quien le levantó
la cola de novia a Shirley y las dos se
veían bellísimas. Parecían un par de
princesas. Antes de entrar a la iglesia, Shirley me llevó a un lado y me
agradeció mi presencia. Yo le dije que

no había nada que agradecer; por el
contrario, yo era la que se sentía muy
honrada de que me hubieran invitado
y le recordé que yo de ninguna manera
podría haber estado presente en la
celebración si ella no me hubiera salvado
la vida. Nos dimos un abrazo más que de
amigas, de hermanas.

En general, la palabra con la que podría
describir la boda es: feliz. Fue una boda
feliz. La felicidad estuvo presente en todo
momento. Desde que los novios entraron
a la iglesia hasta el instante en que todo
terminó. Durante la fiesta, Esperanza
no paró de bailar. La mayor parte
del tiempo lo hizo sola, apenas y pudo
arrastrar un par de veces a Alex a la
pista de baile, pero no pudo retenerlo a
su lado, constantemente se le escapaba. Lo
que pasa es que Alex ya tiene diez años y
le da pena bailar en público, en cambio
Esperanza no tiene el menor temor.

Disfruté enormemente verla tan feliz,
pues siento que cuando Esperanza ríe las

estrellas se miran al espejo en sus ojos. El
único momento en que mi sobrina suspendió
el baile fue cuando los novios partieron
el pastel. Shirley me pidió que yo se los
preparara y lo hice con mucho gusto.
Modestia aparte, tengo que reconocer que
el pastel me quedó buenísimo, y después de
comerlo me entró tal euforia que, haciendo
a un lado las recomendaciones del manual
de Carreño que dicen que aquellos que
no dominan correctamente los pasos de
baile deben de abstenerse de participar
en las danzas colectivas pues, aparte de
deslucir el baile de los demás, sólo sirven
de embarazo e incomodidad pública,
terminé en la pista bailando charleston
con el mismo desenfado que Esperanza.
Después de cinco piezas, obviamente
terminé exhausta y tuve que salir un
momento a tomar aire en el jardín. Olía
a "huele de noche", una de mis plantas
favoritas. Desde la banca en la que me
encontraba sentada, pude observar que
todos los invitados estaban disfrutando

enormemente de la fiesta. Para entonces, Esperanza ya había abandonado la pista de baile y se entretenía en atrapar luciérnagas bajo la dirección de Álex, quien era más experimentado que ella en estos asuntos. Esperanza gritaba y corría con una energía descomunal. No sé ni de dónde sacaba ella tanta energía ni de dónde aparecieron tantas luciérnagas. Esperanza, en determinado momento, se metió algunas luciérnagas por el escote de su vestido y lo iluminó por dentro. Fue tan divertido que Álex se lo festejó bastante. Nunca olvidaré esa noche de luciérnagas, de huele de noche, de alegría, de amor.

Hoy fue la primera comunión de Esperanza y Socorro. Se veían bellísimas con unos vestidos que yo misma diseñé y cosí para ellas. Utilicé la tela del vestido de novia con el que supuestamente yo iba a contraer matrimonio con John. Me alcanzó perfectamente para los dos vestidos. Los hice en un tiempo récord que mi mamá nunca hubiera creído posible de alcanzar, pues estrené mi recién adquirida máquina de coser Singer. Ella siempre se negó a comprar una. No le veía el chiste a coser en medio de tanto ruido. Para ella las tardes de costura eran los momentos ideales para la comunicación y la relajación. Estoy de acuerdo siempre y cuando nos hubiera permitido hablar de todo lo que mis hermanas y yo queríamos hablar. La mayor parte de las veces nos reprimió, pero en fin, como siempre me salgo del tema. El caso es que terminé los vestidos con olanes y encajes en sólo una semana. Chencha y yo decidimos hacer unos tamales norteños para el desayuno

y creo que no fue muy buena idea. Nos
quedaron buenísimos, pero como Chencha
invitó a toda su parentela tuvimos que
hacer cientos de tamales y, no te creas,
ya me canso, no tengo la misma energía
que antes, pero bueno, valió la pena
el cansancio. La misa estuvo increíble.
Durante la ceremonia tocó el órgano
Patricia, la nieta de Paquita Lobo y
alumna de piano de Rosaura, así que
Rosaura tuvo doble motivo para llorar
durante la ceremonia. Noté que Felipe
no le quitaba los ojos de encima a
Patricia. Según yo, está muy chico para
andarse entusiasmando con las niñas,
pero como digno hijo de Gertrudis
salió muy avispado. Alex no se quedó
atrás con aquello de las calenturas
juveniles, bueno, él ya tiene catorce
años y es lógico que se sienta atraído
por muchachitas del sexo opuesto, pero
creo que una niña de nueve años como
Esperanza le queda muy chica. Pero
en asuntos del corazón no hay nada

escrito. Yo pude observar cómo miró Alex a Esperanza cuando ella caminaba por el pasillo. Sus ojos sacaban chispas. Pedro también lo notó y me volteó a ver con complicidad. Los dos sonreímos. Afortunadamente, en ese momento Rosaura estaba enjugando sus lágrimas y ni siquiera se dio cuenta.

Tamales Norteños

Ingredientes:

1 ½ kg de masa para tamales
½ kg de manteca
½ kg de carne de puerco gorda (maciza, cabeza de lomo, etc)
100 gr. de chile ancho
Ajo, comino (recién molido), cebolla y sal
2 paquetes de hoja para tamal

Manera de hacerse:

Se pone a cocer la carne con ajo, cebolla y sal. Cuando está cocida se retira del caldo, se deshebra y se pica. El caldo se reserva.

Los chiles se desvenan y se ponen a cocer en agua. Después se muelen junto con el comino y la sal. Esta salsa se pone a freír en un poco de manteca y se deja hervir un momento. Luego se le incorpora la carne picada y se le añade un poco del caldo de la misma, procurando que no quede ni muy seca ni muy aguada.

La manteca se bate con el puño hasta
que esponje, luego se le incorpora la masa
para tamales y se amasa. Es conveniente
ponerle un poco del caldo de la carne
con chile para que tome color. También se
le añade un poco del caldo de la carne
que reservamos. Esta mezcla se bate
hasta que la masa esponje y que no le
queden grumos. Para saber si ya está lo
suficientemente batida se toma un poquito
de masa y se deja caer dentro de un
vaso con agua. Si flota ya está. Antes
de hacer los tamales es bueno probar la
masa para ver si no necesita más sal.

Por separado se mojan las hojas de
maíz en agua caliente y se les cortan las
puntas de arriba y de abajo para que
todos los tamales salgan del mismo tamaño.
A cada hoja se le embarra un poco
de masa y en el centro se le pone la
carne preparada. Se enrolla y se dobla.
Estos tamales se colocan dentro de una
tamalera a la que previamente se le puso

257

agua hasta el nivel y se le hizo una cama
formada por tiritas de hojas de tamal.
Los tamales se acomodan procurando que
la parte doblada quede hacia abajo. Por
último, se pone otra cama de hojas y un
secador de tela encima de los tamales. Se
cuecen a fuego alto aproximadamente una
hora y media. Para comprobar que están
listos se saca uno de ellos y si se despega
de la hoja fácilmente es que ya están
listos.

Querido diario, te agradezco que te hayas hecho presente en mi vida, aunque no era necesario que de plano me cayeras de golpe en la cabeza. Entiendo que de no haberte echado un clavado desde lo alto del ropero sobre mi coronilla aún seguirías guardado, pero en serio que no son formas. Me dolió. Tengo tanto que contarte que no sé ni por dónde empezar. Ayer fuimos al cumpleaños de Annie, la hija de Shirley y John. ¡Ya tiene seis años! Sí, casi los mismos que yo llevo de tenerte en el total abandono. Annie está bellísima y ya sabe leer. ¿Lo puedes creer? Es una niña muy querida y cuidada. Shirley le preparó a los niños que invitaron al festejo los tradicionales hot dogs. Las salchichas las prepara con una receta que su abuela alemana le heredó. Yo le ayudé a moler la carne en mi molino y le quedaron deliciosas. La salsa de tomate no se quedó atrás, pues la cocinamos con jitomates de mi huerto. Es sorprendente la rapidez con que este platillo se ha popularizado en el gusto de los niños. Según John, fue en esa feria de Chicago, donde él conoció a Tesla, que a un señor de un puesto callejero se le ocurrió poner una salchicha dentro de un pan y le llamó hot dog. Un título que a mi hermana le parece altamente ofensivo y que a mí me divierte. Por cierto, me sorprendió que Rosaura aceptara venir a la fiesta. En otra circunstancia se hubiera negado, pues desde que Esperanza cumplió doce años procura, en la medida de lo posible, evitar todo contacto entre Alex y ella, pero como Annie es una de sus alumnas consentidas de piano, aceptó con agrado la invitación. Me imagino que Esperanza venía advertida porque por largo rato se mantuvo sentada junto a su mamá, pero cuando se comenzaron a servir los hot dogs todos nos tuvimos que acercar a la parrilla. Yo aproveché ese instante para visitar la casa por dentro. Me encanta el olor a medicina que se desprende de sus paredes. Siempre me

reconforta y me hace viajar al tiempo
aquel en que me recuperé dentro de
estas mismas habitaciones. En esas
estaba cuando comencé a escuchar
desde el jardín los gritos de Rosaura
y los lamentos de Esperanza. Salí de
inmediato y me encontré con que mi
hermana estaba montando una escena
de opereta y bastante sobreactuada.
Parece que Alex y Esperanza estaban
comiendo tranquilamente sus hot dogs uno
al lado del otro, cuando a Esperanza
le cayó salsa de tomate sobre su vestido.
Alex rápidamente trató de ayudarla.
Primero le retiró el plato de las manos
y en seguida mojó una servilleta para
limpiar la salsa que por desgracia
le había caído justo a la altura del
busto. En mi caso, yo hubiera hecho lo
mismo; si no se actúa de inmediato la
salsa deja una mancha permanente
en la ropa, pero no se trataba de mí
sino del pobre de Alex, el cual, según
Rosaura, aprovechó el momento para

tocar los pechos de mi sobrina. Lo acusó
enfrente de todos de ser un pervertidor
de menores, pues cualquier joven decente
de diecisiete años debería saber
perfectamente que el pecho de una niña
no se toca. Fue muy penoso para todos.
Nos tuvimos que retirar de la fiesta entre
el llanto de Esperanza y el desconcierto
general.

Salchicas Frankfurten

3 feet sheep or small (1-1½ inch
diameter) hog casings
1 pound lean pork, cubed
¾ pound pork fat, cubed
¼ cup very finely minced onion
1 small clove garlic, finely chopped
1 teaspoon sweet paprika
1 teaspoon freshly fine ground white
pepper
1 teaspoon cinnamon
1 egg white
1 teaspoon sugar
1 teaspoon salt, or to taste
¼ cup milk

Soak the casings in cold water for
half an hour, then wash thoroughly.
After that, soak them in vinegar water
to soften, while you prepare the meat
filling.

Grind the beef, pork and pork fat. Then
mix the rest of the ingredients and grind
finely. Finally, mix all the ingredients
with meat, egg white and milk.
With this mixture, stuff the casings.

Salchicas Frankfurten

Ingredientes:

3 pies de tripa de oveja ya limpia
1 libra de carne de cerdo maciza
en trozos
3/4 de carne de res en trozos
1/4 taza de cebolla finamente picada
1 diente de ajo finamente picado
1 cucharadita de paprika
1 cucharadita de pimiento blanco
1 cucharadita de canela
1 clara de huevo
1 y 1/2 cucharadas de azúcar
Sal al gusto
1/4 taza de leche

Manera de hacerse:

Las tripas se ponen a remojar en agua fría por media hora, y se lavan muy bien. Se dejan remojando nuevamente en agua con vinagre para que se ablanden, mientras se prepara el relleno.

La carne de res y la carne y la lonja de puerco se pasan por un molino de carne. Por separado se muelen en el metate los demás ingredientes y por último se mezclan todos juntos, agregando la clara de huevo y la leche.

Con esta mezcla se rellenan las tripas.

Ayer, de manera repentina, murió mi hermana Rosaura. Para todos fue una sorpresa. Llevaba varios días en que sufría de una gran indigestión que le provocaba muchos gases. Incluso se llegó a quejar de taquicardia, pero John le dijo que probablemente era la misma inflamación intestinal la que le ocasionaba presión en el corazón. Yo de inmediato me atribuí su muerte, ya que durante la última semana había estado cocinando muy pero muy enojada con ella y de seguro los alimentos que le preparé debían de haber ido cargados de una energía maligna que no pude controlar y que la afectó tanto que la condujo a la muerte. Lo curioso es que a nadie más parecía afectarle lo que yo cocinaba y todos comíamos lo mismo. La única que se quejó de problemas relacionados con el apetito fue Esperanza, pero creo que eso era debido a los colerones que su mamá le encajaba. Rosaura le había prohibido terminantemente ver a Alex.

Ellos llevaban meses saliendo juntos y a Rosaura no le había parecido. Esperanza protestó, lloró e imploró la comprensión de mi hermana pero Rosaura se negó a proporcionársela. La orden era terminante: ella no podía tener novio, mucho menos casarse y punto. Esperanza acudió a Pedro en busca de ayuda, pero Pedro no pudo hacer mucho que digamos. Lo único que logró es que Rosaura le retirara el habla. Yo intenté interceder a su favor varias veces con el mismo resultado. Incluso Shirley trató de hablar con ella, pero no la quiso escuchar y le pidió amablemente que no se metiera en lo que no le importaba. Su postura parecía inamovible y difícil de superar. Sin embargo, de manera conveniente para los fines amorosos de Esperanza y Alex, la muerte de Rosaura les deja libre el camino para amarse. Desde fuera, esto puede parecer una muerte provocada y ante los ojos de muchos la principal sospechosa debo ser yo. Yo coincido con ellos y me declaro culpable. Desde hace tiempo que estoy consciente de que la energía tiene influencia en los alimentos. Debería de haber dejado que Chencha cocinara por mí, o debería haber tomado otro tipo de providencias. Para mi fortuna, John y Shirley llegaron pronto y después de revisar el cadáver, John nos dijo que la causa de la muerte de Rosaura había sido ocasionada por un infarto. Al escucharlo, respiré con cierto alivio. Aún me quedaban mis dudas, pero si quería vivir el resto de mi vida libre de culpa más me valía creer eso. Durante el funeral, Esperanza no paró de llorar. En determinado momento me acerqué a darle consuelo y me confesó que tenía mucha culpa. Le pregunté por qué y me dijo que porque sentía que ella era la causante de la muerte de su madre. Me contó que la noche anterior Rosaura la había descubierto besándose con Alex en la puerta del rancho y que se había

puesto como loca, que había corrido a Alex
y que a ella la había obligado a subir a
su recámara a jalones. Inmediatamente
después, Rosaura, echando chispas, se
había metido a su recámara y se había
encerrado a piedra y lodo. Esperanza
asumía que el incidente debía de haberle
ocasionado el infarto. Fue hasta que la
escuché hablar que me di cuenta que uno
cree que tiene más poder del que posee
y eso representa un acto de soberbia.
Efectivamente, nuestras acciones pueden
afectar a los demás pero de ahí a que
puedan ocasionarles la muerte hay un
tramo por recorrer. Evité mencionar-
le que yo también me consideraba la
causante de la muerte de su madre, en
cambio le confesé que yo muchas
veces deseé que mi mamá se muriera
porque yo quería casarme y ella no me
dejaba. Se conté que me llevó años darme
cuenta de que no fue mi deseo lo que la
mató. Fue su propia culpa la que lo hizo.
El miedo que ella tuvo de que yo quisiera

matarla como un acto de venganza la hizo
imaginar que yo la estaba envenenando
y al tomar indiscriminadamente vino de
ipecacuana como antídoto, ella misma se
ocasionó la muerte. De pronto, conforme
hablaba, mi mente fue adquiriendo una
gran claridad. Mi intención inicial
era sólo la de aliviar a Esperanza
pero terminé sanando junto con ella. Le
expliqué a Esperanza que si no sacaba
la idea de la culpabilidad de su mente,
tarde o temprano este pensamiento
actuaría en su contra, pues al creer
que ella le había ocasionado un daño
irremediable a su madre automáticamente
se convertía en culpable. Y como ante los
ojos de la sociedad todo culpable merece
castigo, si no se lo daban los demás uno
mismo lo buscaba. ¿Y qué mejor castigo
que creer que uno no es digno de dar y
recibir amor? Ella no se merecía eso.
Tenía todo el derecho de amar y ser
amada. Por último le dije que tal vez su
mamá sí quería su felicidad, pero no supo

cómo dársela más que haciéndose a
un lado. Nos abrazamos y quedamos
un rato sanando nuestro corazón y
nuestros pensamientos.

Es curiosa la forma en que la historia se repite. Pareciera que hay fechas, ciclos, que regresan y que tienen influencia en nosotros, estemos conscientes de ello o no. Es como el día y la noche. Como el tiempo de siembra y el de cosecha, como el tiempo de actividad y el de reposo. Hoy vinieron a pedir la mano de Esperanza y ahí estábamos en la misma sala en que años atrás don Pascual y Pedro vinieron a pedir mi mano y en el mismo sitio donde en su momento y en otras circunstancias John también pidió mi mano. Como que hay sitios destinados al encuentro. Al cruce de caminos. La sala no ha cambiado nada. Los sillones tienen el mismo tapiz. Los cuadros cuelgan de las paredes exactamente en el mismo lugar. El único toque de modernidad lo imprime un reluciente radio que hace parecer el fonógrafo como un vejestorio. Sin embargo, los protagonistas de la historia seguimos siendo los mismos. No ha cambiado mucho el elenco. La única ausente es Rosaura.

Cabe mencionar que recientemente se
integró Shirley a la compañía, pero de
ahí en fuera todos los demás llevamos años
representando, de la manera más digna
posible, la historia de los amores prohibidos.
Lo que me llena de alegría es que ahora
se abre la posibilidad de un nuevo final.
Un final en el cual a los novios se les
permitirá casarse con la pareja de su
elección. ¡Y vaya que esto es de celebrarse!
Le preparé a Esperanza unas pechugas con
espárragos tal y como le gustan, adorné la
mesa lo mejor que pude. Llené la casa de
flores y velas y finalmente levanté mi copa
y brindé por los felices novios.

Pechugas con espárragos

3 pechugas enteras partidas
a la mitad
250 g de crema
3 cucharadas de mayonesa
500 g de espárragos verdes en conserva
Jugo de 2 limones
2 cucharaditas de sal
2 dientes de ajo
½ cebolla
½ manojo de cilantro
1 lata de chile morrón cortado en tiras

Manera de hacerse:

Las pechugas se ponen a cocer junto
con la cebolla, el ajo, el cilantro y una
cucharadita de sal. Ya cocidas se dejan
enfriar por un día en el refrigerador
y luego se rebanan lo más delgado que
se pueda. En la licuadora se mezclan la
crema, la mayonesa, los espárragos, el jugo
de limón y una cucharadita de sal. Se
prueba para ver si no le hace falta sal

y por último toda la mezcla se pasa por
un colador. En el platón en donde se van
a servir, se pone una capa de la salsa
de espárragos y otra de las pechugas
rebanadas, sucesivamente. Este platillo se
adorna con las puntas de los espárragos
y con tiritas del chile morrón procurando
darle forma de flores de nochebuena. Se
sirve frío. Este platillo se acompaña con
espárragos cocidos y salteados con un poco
de sal en el sartén.

Ayer amanecí con un hueco en el estómago y temor de salir de mi recámara. Era la primera vez en muchos años en que Pedro y yo estábamos sin ningún miembro de la familia cerca. Sin nadie que nos viera. Sin nadie que nos reprimiera. Sin nadie que nos juzgara, bueno, aparte de nosotros mismos. Tanto Pedro como yo hemos pasado la vida ocultando lo que sentimos el uno por el otro. Llevamos años de vernos sin mirarnos. De escucharnos sin oírnos. De rozarnos sin tocarnos. De hablarnos sin decir nada. Me costó trabajo acostumbrarme a tratar con un hombre distante, frío. La frialdad que Pedro le había impuesto a nuestra relación era tal que a veces, como si fuera un hielo seco, me alcanzó a quemar. Ni siquiera cuando estuve a punto de morir a causa de la tifoidea Pedro fue capaz de dejar de lado la formalidad que se había autoimpuesto. Me llevaba flores, me visitaba con frecuencia pero desde lejos, no se me acercaba para nada. Siento

que para sobrellevar una relación entre
cuñado-cuñada le era indispensable
atrincherarse bajo un corsé de reglas
de urbanidad que lo mantenían rígido,
apretado, contenido, pero así como a toda
agujeta, tarde o temprano le llega su
hora, Pedro, de tanto apretar, reventó y
precisamente el día de ayer.
Resulta que Esperanza se fue a la capital
a buscar los encajes que necesitaba para
su vestido de novia. Shirley viajó con
ella porque como Chencha me pidió que yo
fuera la madrina de bautizo de su nieta,
la hija de Socorro, tuve que quedarme en
casa. La fiesta será dentro de dos días,
así que todos los trabajadores andan muy
ocupados en la organización del bautizo.
Aún hay mucho que hacer. Tienen que
matar no sé cuántas gallinas y borregos
para preparar mole y barbacoa para
toda la familia de Chencha. Yo me
bañé muy temprano para ir al centro
a recoger la medallita de oro que había
mandado grabar con el nombre de la

niña (por cierto, no entiendo cuál es la necesidad de ponerle el mismo nombre de la abuela, pero ni modo, así lo decidió Socorro y se llamará Crecencia). Sólo espero que no se les ocurra llamarla Chenchita para diferenciarla de Chencha. En fin. Cuando me estaba arreglando para ir a recoger la medallita, vi desde mi ventana que Pedro salía a cortar flores y cuando bajé a desayunar me encontré con que las había colocado en un jarrón y las había puesto frente a la foto de Rosaura junto con una veladora. Luego salió a andar en su bicicleta. Al poco rato lo escuché llegar de regreso. Se había caído y traía todo el brazo raspado. Cuando se estaba lavando en el fregadero me acerqué con la intención de ofrecerle mi ayuda. Él giró la cabeza para que no viera que estaba llorando. Le puse una mano en la espalda y me rechazó con violencia. "¡No te me acerques!", gritó. Y luego, con una voz ronca, desconocida para mí me dijo: "¿No

279

te das cuenta de que ya no puedo más?, ¿que ya me cansé de fracasar? Traté de amar a Rosaura y no pude. He tratado de guardar respeto a la memoria de tu hermana...". En este punto lo interrumpí y le dije: "Y lo has hecho". Pedro se desesperó aún más y su voz sonó todavía más desgarradora cuando me dijo: "¡No entiendes nada, Tita! ¡Nunca debería haberte amado, nunca debería haberme casado con tu hermana; es más, nunca debería haber nacido, al menos así no habría causado tanto daño!" Yo le pedí que no hablara así y me respondió: "¿Es en serio que no te das cuenta?" "¿De qué?", le pregunté. Hizo una pausa y dijo: "De que te amo como un loco y que ya no puedo respetarte por más tiempo". Acto seguido, me tomó de la mano y me llevó con él a mi recámara. Por fortuna todos los trabajadores, Chencha incluida, estaban tan concentrados en los arreglos para el bautizo que ni siquiera nos vieron cruzar el patio.

Ya dentro de mi recámara, Pedro me besó con gran ternura. Comenzó poco a poco, paso a paso, dulcemente. Dando tiempo a que nuestras manos se reconocieran, a que nuestras bocas se acoplaran, a que el muro de hielo que había entre nosotros se derritiera por completo. Pasamos juntos toda la mañana haciendo el amor hasta que Chencha comenzó a llamarme a gritos. Habían llamado de la joyería para preguntar por qué no había ido a recoger la medallita. Me estaban esperando. Antes de salir de mi recámara me compuse lo mejor que pude y traté de borrar de mi rostro la cara de satisfacción. Al salir me di cuenta de que no podía caminar normalmente y que las piernas me temblaban. No es para menos. A mis treintaisiete años prácticamente sigo siendo virgen y como que ya no ando para estos trotes.

Mi mamá siempre decía que primero es lo primero. Primero es el deber y luego el placer. De niña, esta última frase me causó bastantes dolores de cabeza. No tenía problema para entender que primero es lo primero. Claro, pensaba mi mente infantil, sin flores no hay miel de abeja. Sin gallinas no hay huevos. Sin borregos no hay estambre. Las cosas se complicaban cuando había que decidir cuál era el deber y cuál el placer. No me llevó mucho tiempo entender que el deber básicamente consistía en hacer todo aquello que mamá ordenaba y el placer todo aquello que nos gustaba y que teníamos que dejar para el último. Conociendo su historia personal, ahora entiendo que mi mamá, al igual que yo, tuvo que aprender esto a sangre y fuego. Ella debió hacer a un lado sus verdaderos deseos para dedicarse a atender a una familia que hubiera querido formar con otra pareja. Me pregunto si en esos casos no hubiera sido conveniente optar por ella misma en vez de por el deber que los demás le imponían. ¿El deber a quién y para qué? Por ejemplo, yo consideré que era mi deber cambiar el rumbo del destino de esta familia y lo logré, de lo que no estoy tan segura es de los resultados a largo alcance. Me gustaría tener una bola de cristal para poder ver la manera en que Esperanza va a educar a sus hijos e hijas. Ella ha recibido la mejor educación por parte de todos los que la queremos. De Rosaura ha aprendido a bordar, a tocar el piano y a cantar. De Pedro, clases de matemáticas y de administración. De John clases de biología y química. De Sherly primeros auxilios y la utilización de hierbas medicinales para el tratamiento de ciertas enfermedades. Yo le he enseñado los secretos de la cocina, lo que pasa cuando uno pone sus manos sobre una masa. La influencia de los astros en la siembra y en la cosecha. La mejor hora para regar. La manera en que se debe pedir permiso a una planta

antes de cortarle una rama. Cuáles son
los rituales que nos permiten enlazarnos
con la naturaleza hasta lograr pensar
como árbol, como río, como viento, como
fuego. Cómo honrar, cuidar y proteger a
esa naturaleza de la que formamos parte.
Eso definitivamente es lo primero y creo
que Esperanza lo entiende bien. Ya de
ella dependerá cómo le transmitirá este
conocimiento a sus hijos. Me encantará
verla de mamá. Ver crecer a sus hijos.
Ver cómo los va a educar. Tomarles una
foto cuando den sus primeros pasos.
Celebrar sus primeras palabras. Darles
su primer caldo de frijol, su primera
tortilla de maíz.

No sé por qué uno siempre ve el pasado, nunca el presente. Veo la mesa de la cocina y siempre me asaltan infinidad de imágenes. Esta mesa ha sido testigo de tantas penas, de tantas alegrías, de tantas celebraciones. Aquí he pasado la mayor parte de los treintaisiete años que tengo de vida. Es más, nací sobre de ella. Y ahora se me hace increíble pensar que este día es el último en que voy a cocinar para Esperanza sobre esta mesa. Bueno, voy a seguir cocinando para ella cuando venga de visita, pero hoy la vida en familia que juntas construimos pasará a ser parte del pasado. Amanecí inundada de nostalgia. La idea de que uno va a dejar de ver algo o a alguien estremece. Mañana ya no voy a ver el mismo rancho. Va a desaparecer uno de sus elementos fundamentales: Esperanza. Sé que mi tristeza resulta un tanto absurda, Esperanza no se está muriendo, se está casando. La voy a seguir viendo. Lo que pasa es que la ausencia es parecida a la muerte. Cuando uno ya no ve y no escucha a la persona de sus afectos, pareciera que no existe, que se desvanece. De pronto, se me ocurrió salir a fotografiar el rancho, desee capturarlo hoy pues mañana ya no será el mismo. Tomé tres fotos segmentadas que más tarde revelé y pegué en un cartón para que cupiera todo el rancho. Se lo pienso dar a Esperanza.

Con el matrimonio de Esperanza termina mi compromiso secreto con ella. Ahora puedo diseñar mi nueva vida y me siento rara. No estoy acostumbrada a pensar en el mero disfrute de la vida. Pedro y yo hemos avanzado bastante en ese sentido, pero siento que aún nos falta sentirnos libres de todo compromiso. Hemos hablado de tomarnos una especie de vacaciones después de la boda. Pedro me dice que me olvide por un tiempo de la cocina y tiene razón, aunque me cuesta trabajo porque la cocina ha sido mi refugio, mi trinchera, mi fuente constante de conocimiento, mi manera de dar amor. En todos estos años,

con la excepción del tiempo que pasé en
casa de John, no tuve tiempo de pensar
en mí. Todo mi tiempo, mi esfuerzo, mis
pensamientos estuvieron enfocados primero
al cuidado de mi mamá y luego de
Esperanza. Con una lo hice por obligación
y con la otra, por amor. Las obligaciones
mantenían mi mente abrumada, ocupada.
De pronto, el día de mañana todo
terminará. Estoy cerca de la liberación y
me encuentro confundida. Me imagino que
es como cuando a Gertrudis le dijeron
que la Revolución había terminado y que
se tenía que reintegrar a la vida civil.
Tal vez no sea un ejemplo válido, pues
creo que debe ser más fácil dejar el rifle
de lado que colgar el delantal. Me siento
como una olla que está agotada de tener
tanta ebullición en su interior y pide a
gritos que la retiren de la hornilla, pero
a que al mismo tiempo quiere permanecer
en contacto con el fuego pues sabe que si
se enfría repentinamente se puede tronar.
Por lo pronto quiero terminar mi labor

como cocinera del rancho con broche
de oro. Decidí preparar unos chiles en
nogada para el banquete. Llevamos toda
la semana pelando nueces para la nogada
y me quedaron los dedos totalmente
manchados con el tinte que se desprende
de la cáscara. Se me ocurre que lo ideal
para desmanchar mi piel será darme
un baño de tina. Lo voy a hacer antes
de dormir. Tal vez le ponga chocolate al
agua en la que me voy a bañar para que
el chocolate penetre por cada poro de mi
piel, bueno, aparte de por mi boca porque
¡me merezco una buena taza de chocolate!

Hoy tomé esta foto en el rancho que mañana, ya sin Esperanza, será otro.

Chiles en Nogada

Ingredientes:

25 chiles poblanos

8 granadas

100 nueces de castilla

100 g de queso fresco añejo

1 kg de carne de res molida

100 g de pasas	1 durazno
¼ kg de almendras	1 manzana
¼ kg de nueces	Comino
½ k de jitomate	Pimienta blanca
2 cebollas medianas	Sal
2 acitrones	Azúcar

Manera de hacerse:

Las nueces se deben comenzar a pelar con
unos días de anticipación, pues el hacerlo
representa un trabajo muy laborioso, que
implica muchas horas de dedicación. Después
de desprenderles la cáscara, hay que
despojarlas de la piel que cubre la nuez.
Se tiene que poner especial esmero en que a
ninguna le quede adherido ni un solo pedazo,

pues al molerlas y mezclarlas con la crema amargarían la nogada, convirtiéndose en estéril todo el esfuerzo anterior.

Ya que se tienen todas las nueces peladas, se muelen en el metate junto con el queso y la crema. Por último, se les pone sal y pimienta blanca al gusto. Con esta nogada se cubren los chiles rellenos y se decoran después con la granada.

Relleno de los Chiles:

La cebolla se pone a freír en un poco de aceite. Cuando está acitronada se le agregan la carne molida, el comino y un poco de azúcar. Ya que doró la carne, se le incorporan los duraznos, las manzanas, las nueces, las pasas, las almendras y el jitomate picado hasta que sazone. Cuando ya sazonó, se le pone sal al gusto y se deja secar antes de retirarla del fuego. Por separado, los chiles se ponen a asar y se pelan. Después se abren por un lado y se les retiran las semillas y las venas.

Querido diario, te escribo rápidamente
antes de salir para la iglesia porque no
quiero que se me olvide la experiencia de
ayer. Podría hacerlo en la noche cuando
se hayan ido todos los invitados pero
me temo que voy a estar tan agotada
que no me van a quedar fuerzas ni de
tomar la pluma entre mis dedos. Anoche,
efectivamente, preparé mi baño de tina
de chocolate. Mientras relajaba mi cuerpo
dentro del agua, me fui tomando a sorbos
mi taza de chocolate ceremonial. A Pedro
le preparé una igual pero él se la tomó
en su cuarto. No sé si de plano se me
pasó la mano de chocolate, pero aparte de
sentir un arrobamiento intenso, mientras
estaba dentro del agua comencé a ver
luces. Poco a poco fui afinando la vista
y pude observar a Luz de Amanecer y
a Nacha encendiendo velas por toda mi
recámara. En el momento en que Nacha
encendía un cirio se sintió observada por
mí, giró su cabeza y me dijo: "La luz ya
está en ti mi niña, felicidades".

De pronto sentí que alguien acariciaba
mi cabeza y me ayudaba a lavar el pelo
tal y como yo se lo lavé cientos de veces
a mi mamá en este mismo lugar. Giré la
cabeza y vi a mi mamá. Venía vestida
de blanco, color que en vida nunca la
vi usar. Lucía esplendorosa, alegre,
sonriente, tanto que me costó trabajo
reconocerla. "¿Mamá?", le pregunté y me
respondió: "Sí mijita, soy yo", al tiempo
en que dejaba caer sobre la tina flores
de azahar. Sus ojos tenían una gran luz.
Dentro de mi cabeza escuché claramente
su voz que me decía: "Ya cumpliste con tu
misión. Te felicito. Descansa. Resultaste
mejor madre de lo que nunca imaginé.
Yo tendría que haber hecho lo mismo que
tú pero no pude. Me ganó el miedo y
me dejé vencer. Ante la pérdida de mi
poder, opté por controlar, por dominar
a todos y principalmente a ti, sin darme
cuenta de que en tu persona repetía la
misma represión que los demás ejercieron
sobre mí. Perdón por haber impedido

que te casaras. No supe cómo actuar.
Me hubiera gustado tener tu valentía,
tu fortaleza. No me hubiera equivocado
tanto. Pero desde donde me encuentro,
donde todo está unido, en ti vivo, en
ti me realizo, en ti me perdono, en ti
amo. Desde acá te digo que yo estaba
equivocada y me corrijo: si primero es lo
primero, el amor va antes que nada.
Y si primero es el deber y luego el
placer, amar es nuestro deber y placer.
No hay nada antes ni más allá que el
amor, no lo dejes ir Josefita". Luego
me dio un beso en la frente como
despedida. No sabes el alivio que siento
en mi corazón. Bueno, te dejo porque se
me hace tarde para la ceremonia de
matrimonio.

Querida Tita:

me siento una intrusa leyendo tu intimidad,
discúlpame por hacerlo pero tu diario fue lo único que
encontramos bajo las cenizas de lo que fue el rancho
y me aferro a él como mi tabla de salvación, ante tu
enorme pérdida. Ahora entiendo el porqué siempre
tuve la sensación de que mi verdadera madre deberías
de haber sido tú. Nunca me percaté del gran amor que
existió entre mi padre y tú. Me imagino que los dos
cuerpos abrazados y calcinados que hallaron en lo que fue
tu cuarto eran los de mi papá y el tuyo. Así lo quiero
creer. Me tomé el atrevimiento de escribir en tu diario
porque de niña ya algunas veces lo había hecho. Tú
siempre me hiciste sentir que lo tuyo era mío también.
Me pertenecía. Todo es de todos, era tu frase favorita
y ahora la entiendo. Tomo como mi herencia tu diario
y tu historia amorosa. Trataré de hacer honor a tanto
y tanto amor. Que no se desperdicie. Que no muera.
Que salga a la luz para iluminarnos a todos.

Esperanza

Primera edición: mayo de 2016

© 2015, Laura Esquivel

© 2016, de la presente edición en castellano para todo el mundo
Penguin Random House Grupo Editorial, S. A. U.
Travessera de Gràcia, 47-49. 08021 Barcelona

© Jordi Castells, por el diseño de cubierta e interiores
© Laura Esquivel, por las fotografías de interiores

Printed in Spain - Impreso en España

ISBN: 978-84-8365-819-2
Depósito legal: B-7145-2016

Impreso en Talleres Gráficos Soler, S. A.

A L 58192

Penguin
Random House
Grupo Editorial

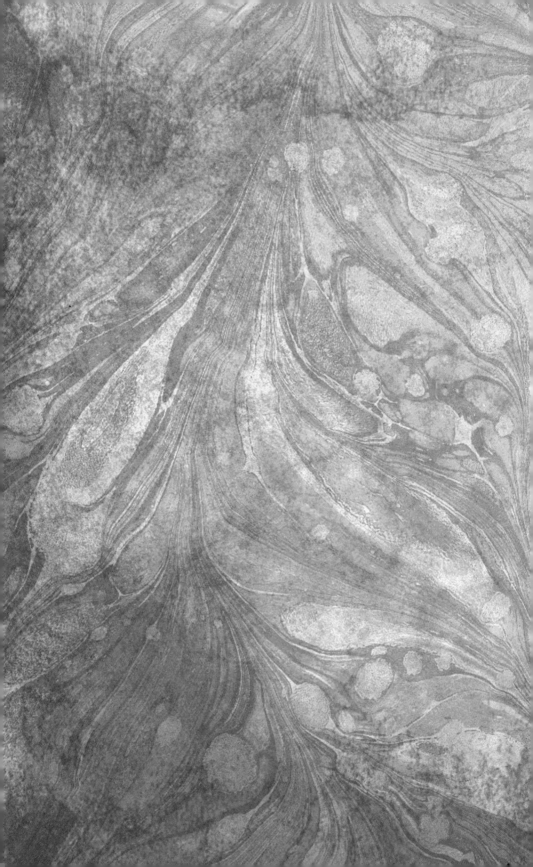